D0626569

Catalogage avant publication de Bibliothèque et Archives nationales du Québec et Bibliothèque et Archives Canada

Summers, Laura, 1960-

[Summer of telling tales. Français]

Sauve qui peut!

(Génération Filles)
Traduction de : The summer of telling tales.
Pour les jeunes de 10 ans et plus.
ISBN 978-2-89662-298-6

I. Bricaud, Anne. II. Titre. III. Titre : Summer of telling tales. Français. IV. Collection : Génération Filles (Boucherville, Québec).

PZ23.S894Sa 2014   j823'.92   C2013-942270-6

Édition
Les Éditions de Mortagne
C.P. 116
Boucherville (Québec) J4B 5E6
Tél. : 450 641-2387
Téléc. : 450 655-6092
Courriel : info@editionsdemortagne.com

© Laura Summers 2013
Titre original : *The Summer of Telling Tales*
© Éditions de Mortagne 2014
Ce roman est publié en accord avec Picadilly Press Limited,
London, England.
Tous droits réservés

Illustrations en couverture et intérieures
© Paula Romani

Dépôt légal
Bibliothèque et Archives Canada
Bibliothèque et Archives nationales du Québec
Bibliothèque Nationale de France
1er trimestre 2014
ISBN 978-2-89662-298-6
ISBN (epdf) 978-2-89662-299-3
ISBN (epub) 978-2-89662-300-6
1 2 3 4 5 – 14 – 18 17 16 15 14
Imprimé au Canada

Nous reconnaissons l'aide financière du gouvernement du Canada par l'entremise du Fonds du livre du Canada (FLC) et celle du gouvernement du Québec par l'entremise de la Société de développement des entreprises culturelles (SODEC) pour nos activités d'édition. Gouvernement du Québec – Programme de crédit d'impôt pour l'édition de livres – Gestion SODEC.

Membre de l'Association nationale des éditeurs de livres (ANEL)

Laura Summers

SAUVE QUI PEUT !

Traduit et adapté de l'anglais
(Angleterre)
par Anne Bricaud

ÉDITIONS DE MORTAGNE

À ma mère,

Pamela Ruth Cranfield

23 septembre 1929 – 12 septembre 2012

CHAPITRE 1

Ellie

— Promettez-moi que vous ne direz rien à personne, nous murmure ma mère au moment où Grace et moi partons pour l'école.

— Promis, ne t'inquiète pas, maman.

Elle n'a pas besoin d'ajouter quoi que ce soit. Je préférerais pique-niquer avec des zombies que raconter ce qui se passe chez nous.

En fermant la porte, elle nous fait son grand sourire, qui me reste en tête toute la journée. Je pense à elle pendant chaque cours, pendant le dîner, alors que je mange mon sandwich au jambon et au fromage, et même pendant le rassemblement des élèves, quand madame St-Pierre délire sur les comportements inappropriés dans les couloirs de l'école. Je me repasse ce qui s'est passé la nuit dernière, encore et encore, mais, tout ce temps-là, je suis en mode pilote automatique, tout sourire, et je fais croire à tout le monde que c'est une journée comme les autres.

Quand les cours sont terminés, mon visage est douloureux et j'ai un mal de tête terrible, alors je retrouve Grace et nous nous faufilons rapidement sur le trottoir entre les groupes de jeunes qui bavardent et rigolent en rentrant chez eux.

– Maman va être correcte, hein? je demande à Grace.

Elle hoche la tête, mais accélère, et je dois maintenant trotter pour la suivre. J'ai supplié maman de nous laisser rester à la maison aujourd'hui, mais elle a répondu que nous devions aller à l'école comme d'habitude. J'entends quelqu'un m'appeler, un peu plus loin dans la rue.

– Hé, Ellie, attends!

C'est Laura. C'est une nouvelle élève de ma classe, drôle, sympa et déjà vraiment populaire. Exactement le genre de fille que j'aimerais être. Pendant que je la regarde traverser la rue et venir vers nous, Grace me tire par la manche, mais c'est déjà trop tard. Je ne peux plus faire semblant de ne pas l'avoir entendue.

– Est-ce que je peux venir un peu chez toi? me demande Laura en arrivant à notre hauteur.

Je me force à sourire comme elle.

– Peut-être demain, lui dis-je avec un petit haussement d'épaules.

– C'est ce que tu as répondu la dernière fois, fait remarquer Laura.

Elle se retourne vers Grace.

– C'est toi, alors, la sœur d'Ellie? demande-t-elle en ouvrant grand les yeux.

Laura ne s'attendait sûrement pas à ce que ma sœur soit cette superbe et grande princesse, avec sa cascade de cheveux soyeux, ses yeux bleu vif et son teint de porcelaine. Elle avait de toute évidence pensé que ma sœur serait mon clone, mais en plus vieille d'un an et plus grande que moi d'un ou deux centimètres. Elle avait dû imaginer une autre gamine au nez retroussé et couvert de taches de rousseur, dont personne ne se souvient jamais et qui n'a rien de spécial, et qui ne ressemble clairement pas à une princesse, plutôt à la servante qui vide les poubelles.

La gentillesse de Laura ne lui sert à rien avec Grace. Ma sœur l'ignore, me jette un regard pressant, puis se retourne pour partir. Je suis si gênée que je voudrais rentrer sous terre. Pourquoi ne veut-elle pas parler, bon sang? C'est tellement embarrassant. Rien qu'un mot, ça suffirait... «Oui», «non», «salut», peu importe.

- Ouais, c'est Grace, je lance rapidement, parce que je n'ai pas envie de lui expliquer maintenant que ma sœur ne parle à personne d'autre qu'à moi. Désolée, on doit y aller.

Laura me regarde bizarrement. Je veux m'éloigner avant qu'elle se mette à me poser d'autres questions délicates.

- Qu'est-ce qui se passe?

- Rien, je fais en riant. Papa nous emmène manger une pizza.

- Chanceuse! me crie Laura tandis que ma sœur et moi repartons. J'aimerais bien que mon père soit comme ça!

Je ne lui réponds pas, mais je lui fais un signe de la main en souriant.

- Pourquoi as-tu dit ça? me demande Grace d'un ton farouche quand nous tournons le coin de rue.

- Je ne sais pas... la dernière fois... la dernière fois, il était désolé... je me suis dit...

Peut-être que tout est *réellement* ma faute, comme il le dit. Si j'étais tranquille, comme Grace, ou si j'étais bonne à quelque chose au lieu d'être si casse-pieds, je ne le stresserais pas comme ça, tout le temps.

Grace me jette un coup d'œil et son visage s'adoucit. Elle me dit :

- Laura va bientôt arrêter de te poser des questions.

Et je me sens fâchée, et triste, et soulagée tout à la fois, parce que je sais bien qu'elle a raison. Ils arrêtent tous de poser des questions, au bout d'un moment.

CHAPITRE 2

⋙ *Grâce* ⋘

Rue des Mûriers. Notre rue. Un cul-de-sac plutôt chic, comme dit papa. Toutes les maisons se ressemblent. Peintes en blanc avec de fausses poutres noires, elles sont surmontées de toits en tuiles rouges et les fenêtres avant sont protégées par de lourds voilages, pour que personne ne puisse voir à l'intérieur.

– Grace, est-ce que tu t'imagines, parfois, que les choses sont différentes ?

La voix d'Ellie tremble un peu.

– Ça ne sert à rien.

Mon regard passe d'un trottoir à l'autre, sans cesse.

Numéro 3 – Monsieur et madame Pelouse-impeccable-sans-une-seule-mauvaise-herbe.

Numéro 4 – Madame Six-chats.

Numéro 5 – Monsieur Nains-de-jardin-tout-tristes.

Numéro 6 –

– Tu ne trouves pas que ce serait génial, si on était d'autres personnes et qu'on vivait une vie complètement différente ? insiste-t-elle.

Pourquoi vouloir être quelqu'un d'autre ? Ce sont justement les autres, le problème.

Continue de marcher, Grace, continue de compter.

Numéro 8 – Maison à vendre.

Numéro 9 –

– Oh, allez, Grace, dis-moi qui tu voudrais être et où tu voudrais vivre, jacasse-t-elle. Tu pourrais être qui tu veux, vivre où tu veux.

– OK, alors, je voudrais être toujours moi, mais sur une île déserte.

Mon cœur se serre affreusement. Ignore-le, Grace.

Numéro 9 – Villa des chèvrefeuilles (« Villa », vraiment ?)

– Eh bien, pour ma part, il ne serait pas question que je sois moi ! dit Ellie en terminant sa phrase avec un petit grognement nerveux. Je serais une personne éblouissante, et incroyablement belle, évidemment, comme une actrice de cinéma. Et je flânerais toute la journée dans mon immense manoir, avant d'aller me détendre dans ma piscine en forme de cœur avec des coupes de crème glacée tout autour.

Je sais déjà tout ça. Ellie pourrait gagner des concours d'art oratoire. Elle a bien de la chance. La semaine dernière, j'ai rapporté à la maison mon formulaire de choix d'options pour ma préparation au diplôme d'études secondaires. Mon père a décidé que je serais dentiste – il y a de l'argent à se faire, dans la bouche des gens. Il a choisi l'option scientifique, ce qui me force à abandonner l'art. Sauf que je veux être conceptrice de mode et que l'idée de jouer dans la bouche des autres me donne envie de vomir. J'avais fait une liste de ce que je voulais lui dire, j'avais tout noté. Une fois devant lui, les mots se sont coincés dans ma gorge. À la fin, j'ai dû tous les ravaler, et ils me sont restés sur l'estomac, comme les hamburgers de la cafétéria de l'école.

C'est comme ça que je me sens maintenant, aussi. Ce sentiment ne m'a pas quittée de la journée, depuis que je me suis réveillée et ai tout fait pour ne pas me rappeler ce qui s'est passé hier. Je ne devais pas avoir l'air en forme, parce que, pendant mon cours de violon, madame Émond m'a demandé si j'allais bien. J'aurais vraiment voulu lui dire « non », mais je n'ai pas pu. Je n'ai même pas réussi à prononcer ce tout petit mot, à lui faire franchir le bâillon invisible qui recouvre ma bouche. Les paumes de mes mains se sont mises à transpirer et je me suis sentie rougir, alors je me suis contentée d'acquiescer, avant de me plonger dans mon morceau de violon. Le temps que je termine, elle avait oublié sa question. Elle m'a proposé un bonbon et a commencé à me parler d'un grand concours de musique auquel elle voulait m'inscrire. Ça ne m'intéressait pas, mais je savais que papa serait content si je gagnais quelque chose.

Et nous sommes arrivées.

Numéro 14 – Notre chaleureux foyer.

Pousse la grille du jardin. Allez.

Ma main tremble un peu. Nous nous dépêchons de remonter l'allée bordée de massifs de fleurs bien taillés. Nous passons devant les buissons de roses qui poussent dans le drôle de petit creux, au milieu de la pelouse, où Ellie raconte qu'un vampire est enterré, et nous contournons la maison pour entrer par la porte de la cuisine.

Arrête-toi, écoute.

Il n'y a pas un bruit, quand, tout à coup, une portière de voiture claque et nous fait sursauter. Ce n'est que monsieur Kendall, le voisin d'à côté, qui nous sourit et agite sa main pour nous saluer. Il porte un costume gris et tient un livre sous le bras. Papa et lui sont de bons amis.

– Salut, les filles ! nous lance-t-il en se passant la main sur la tête pour plaquer sur son crâne chauve ses fines mèches que le vent soulève. Pouvez-vous dire à votre père que la rencontre du comité de surveillance de quartier aura lieu lundi soir ?

Je hoche la tête et Ellie dit « OK », et nous nous figeons toutes les deux en le voyant s'approcher et se pencher par-dessus la clôture.

– Oh, et rendez-lui ça de ma part, d'accord ? ajoute-t-il en me tendant un gros livre sur les oiseaux, avec une couverture en papier glacé. Remerciez-le pour moi. C'était très gentil de sa part de me le prêter. Vraiment très gentil.

Il se retourne et repart en direction de chez lui en fredonnant. Papa s'entend bien avec tous nos voisins. Même monsieur Nains-de-jardin-tout-tristes. L'autre jour, Danny, le fils de monsieur Kendall, dont les mèches de cheveux ne sont pas encore assez longues pour recouvrir son crâne comme il faut, mais qui y travaille, a dit à Ellie que papa était un « type génial ».

Je tourne la poignée de la porte de la cuisine et la pousse pour l'ouvrir.

D-o-u-c-e-m-e-n-t.

Le sol à carreaux noir et blanc est impeccable. Ma nausée s'amplifie. J'enlève mes chaussures et les pose là où elles doivent aller : à une dalle du mur de la cuisine.

– Maman ? fait Ellie. Pas de réponse. Les assiettes brisées la nuit passée ont été balayées et jetées à la poubelle. Tout a l'air propre et bien rangé. Pas une fourchette, pas un linge à vaisselle qui ne soit à sa place. Bruno lève la tête, mais quand il voit que ce n'est que nous, il recommence à lécher d'invisibles taches de sauce au sol en remuant la queue.

– Maman ! crie Ellie plus fort, en ouvrant la porte du couloir. Ça va ?

Nous entendons un bruit étouffé à l'étage. Nous montons l'escalier en courant et la trouvons penchée au-dessus d'une valise ouverte, dans la chambre qu'elle partage avec papa. Elle n'est pas, comme d'habitude, vêtue d'un chemisier à col montant et manches longues et d'élégants pantalons. Elle porte un jeans et un vieux t-shirt blanc. Tout le côté de son cou est couvert de bleus qui virent au violet et de marbrures noires.

Elle lève la tête et nous sourit.

Ellie se met à pleurer, court vers elle et la serre dans ses bras. Maman grimace de douleur, mais elle chuchote de petits « chut » à Ellie en lui caressant les cheveux, comme si c'était elle qui avait mal.

– Nous n'avons que dix minutes, dit maman. Faites un sac et ne prenez que ce à quoi vous tenez le plus. Nous partons.

CHAPITRE 3

❦ Ellie ❧

– Est-ce qu'on va chez tante Anna? je demande, les yeux écarquillés.

Papa ne permet pas à maman de voir sa sœur. Il dit qu'elle a une mauvaise influence sur nous, et bien d'autres choses très grossières. Maman secoue la tête.

– Non, elle n'est au courant de rien.

– Mais où allons-nous, alors?

Maman hausse les épaules.

– Loin. Quelque part où on ne pourra pas nous trouver.

Elle jette un coup d'œil nerveux à sa montre, puis tend à chacune de nous un grand de sac de toile. Ce sont les sacs que nous remplissons à ras bord quand nous partons en vacances.

– On ne peut pas prendre grand-chose, nous dit-elle, seulement ce qui peut tenir dans la voiture. Je vous ai pris des vêtements et vos sacs de couchage, et j'ai préparé des sandwichs pour le souper.

On dirait qu'on part en excursion.

– Et Bruno? je demande.

Maman nous regarde et fait une petite grimace.

- Mais on ne peut pas laisser Bruno, maman! On ne peut pas l'abandonner!

Elle passe son bras autour de mes épaules.

- Je suis vraiment désolée. Il va bien aller, dit-elle gentiment. Les filles, nous devons nous dépêcher. Votre père…

Tout à coup, le téléphone sonne. Nous reconnaissons toutes les trois le numéro qui s'affiche, et échangeons des regards terrifiés. Maman se penche vers la table de nuit et décroche lentement le combiné.

- Bonjour, Adam, dit-elle d'une voix calme, malgré ses yeux écarquillés par la peur.

C'est papa qui fait son appel de vérification. Il appelle maman du travail à tout moment, chaque jour, pour savoir ce qu'elle fait et s'assurer qu'elle n'est pas sortie sans sa permission.

Maman nous fait signe de quitter la chambre et lui dit qu'elle est sur le point de commencer à préparer le souper: un pâté à la viande, son plat préféré, entièrement préparé par elle. J'ai peur qu'il se rende compte qu'elle tremble, mais elle réussit à garder son calme et lui raconte qu'elle a planté des fleurs dans le jardin, aujourd'hui.

- Il va piquer une crise quand il va rentrer et qu'il verra qu'on n'est pas là, je chuchote à Grace, qui ne répond rien.

Je vais dans ma chambre, enlève rapidement mon uniforme scolaire et enfile un jeans et un t-shirt. Puis, je passe en revue toutes mes affaires. Je ne sais pas par où commencer. Qu'est-ce que je veux emporter? Qu'est-ce que je vais laisser?

J'entends Bruno gémir, en bas, pour qu'on le laisse sortir de la cuisine. Papa refuse qu'il se promène dans la maison, mais, parfois, quand papa est au travail, Grace et moi laissons Bruno sortir en secret et nous jouons avec lui dans le salon. Un jour, nous avons oublié de vérifier s'il avait laissé des poils, et papa s'en est aperçu. Il a attaché Bruno dehors pendant une semaine pour lui donner une leçon. C'était en janvier, l'année dernière, et il faisait affreusement froid. Grace et moi avons supplié papa de permettre à Bruno de rentrer, mais il n'a pas voulu.

Je jette un nouveau coup d'œil dans ma chambre, et je prends une grande respiration. Je sais exactement ce que je veux emporter.

CHAPITRE 4

⧉⧈ *Grâce* ⧈⧉

Pas le temps de faire des listes.

Je fouille dans ma garde-robe pour trouver le sac de papier brun caché tout au fond.

Je l'ai.

Je sors précautionneusement la courtepointe en *patchwork* qu'il contient. Papa ne sait pas que je l'ai récupérée dans la poubelle le lendemain matin, après qu'il l'eut jetée, il y a des mois. Je la garde secrètement dans ma garde-robe depuis. Je n'ai même pas osé la montrer à maman ou à Ellie, pour qu'il ne s'en rende pas compte.

Grand-mère l'avait cousue pour l'anniversaire de maman, l'an dernier. Quelques-uns des carrés de tissu ont de minuscules trous de mites, et d'autres sont si vieux et ont été lavés si souvent que leurs couleurs sont complètement délavées, mais la courtepointe est tout de même si magnifique que je ne comprends toujours pas pourquoi papa l'a détestée... à moins que ce ne soit à cause de la réaction de maman.

Il disait que grand-mère était une vieille bique qui se mêlait de ce qui ne la regardait pas. Il avait clairement fait comprendre qu'elle n'était pas la bienvenue chez nous, alors, comme tante Anna, nous ne la voyions presque jamais. Elle envoyait tout de même des cartes et des cadeaux pour nos anniversaires et à Noël.

Quand maman a ouvert le colis de grand-mère, son visage s'est illuminé l'espace d'un instant. Elle s'est immédiatement reprise, mais ses yeux ont continué de briller, et papa a vu à quel point elle aimait cette courtepointe. Nous l'aimions aussi. Une explosion de couleurs.

Bleu ciel.

Rouge cerise.

Jaune citron.

Vert émeraude.

Vieux rose.

Mandarine.

Lilas.

Rouge rubis.

Doré.

Turquoise.

« On dirait un jardin tout fleuri », a insisté Ellie, juste avant que papa l'arrache des mains de maman.

– Je ne veux pas de cette saleté défraîchie dans ma maison ! a-t-il lancé avec colère, en roulant la couverture en boule. Il faut être toquée pour envoyer un paquet de vieux chiffons à quelqu'un pour son anniversaire !

Ellie a protesté. Ma mère a regardé le sol et s'est tue. Papa a emporté la couverture dans la cuisine et, quelques secondes plus tard, nous avons entendu du tissu qui se déchirait. Ellie s'est mise à pleurer. Elle a voulu se précipiter dans la cuisine pour l'arrêter, mais maman l'a tenue fermement contre elle.

– Ça n'a pas d'importance, répétait-elle. Ça n'a pas d'importance.

Le lendemain, il est rentré à la maison avec une courte-pointe en *patchwork* qu'il avait achetée dans un magasin chic, près de son travail. Elle était en soie chinoise authentique et décorée de dragons noirs et rouges entrelacés et brodés à la main. Il nous a expliqué que ça lui avait coûté une fortune, mais que ça deviendrait un bien de famille, quelque chose que maman garderait pour toujours. Maman a dit qu'elle était magnifique. Elle a caressé la soie ; il n'y avait plus d'étincelle dans ses yeux.

Personne n'a reparlé du cadeau de grand-mère. Quelques jours plus tard, je suis allée au musée avec ma classe, et entre les os de dinosaures et les outils de l'âge du fer, il y avait une exposition de courtepointes. Tous les autres élèves sont passés devant à toute vitesse, parce que la rumeur courait qu'une tête coupée était montrée un peu plus loin. Je suis restée en arrière et j'ai lu toutes les petites pancartes explicatives de l'exposition.

Plus je lisais, plus j'en apprenais. Les courtepointes n'étaient pas seulement fabriquées par des gens qui avaient du temps à revendre. Ces couvertures étaient des façons de transmettre des choses qu'on ne pouvait pas dire à voix haute. Des femmes insultaient leur mari dominateur, des servantes racontaient des ragots sur leurs maîtres et maîtresses. Certaines courtepointes étaient des messages politiques, d'autres, des lettres d'amour, d'autres encore, des plaisanteries grossières.

Il y avait aussi des «courtepointes de la liberté». Les esclaves américains se transmettaient des messages secrets en cousant des symboles sur leurs courtepointes. Ensuite, ils les accrochaient à l'extérieur de leurs fenêtres ou sur les cordes à linge, pour dire aux autres esclaves qui s'étaient échappés où trouver une maison dans laquelle ils seraient en sécurité.

Une fois chez moi, je me suis dit que grand-mère avait peut-être envoyé à maman plus qu'un tas de carrés de tissus cousus ensemble. Elle lui avait peut-être fait parvenir un message codé. Alors, quand papa n'était pas là, je sortais les morceaux de la courtepointe déchirée et je vérifiais s'il y avait des symboles mystérieux que j'aurais pu interpréter. Je n'ai jamais rien trouvé.

Un jour, j'ai compris quelque chose. Tous les morceaux de tissus de la couverture avaient sans doute été découpés dans des vêtements qui avaient appartenu soit à grand-mère, à grand-père, à ma mère ou à ma tante Anna. Ils avaient porté tous ces bouts de tissus, alors chacun avait une histoire. Je me suis alors rendu compte que la courtepointe de grand-mère était pleine de contes qu'Ellie et moi n'avions plus le droit d'entendre. C'était ça, le message secret de grand-mère. Elle nous disait de ne pas oublier.

J'ai donc commencé à réparer la couverture, morceau après morceau, quand papa n'était pas là. Je devais faire attention et ne coudre qu'une bande ou deux à la fois, au cas où il arriverait à l'improviste. Une fois, je me suis tellement plongée dans ma couture que le sol de ma chambre était recouvert de morceaux de tissus et que j'ai à peine eu le temps de les rassembler avant qu'il rentre.

Au bout de quelques semaines, j'avais tout recousu, moins habilement que grand-mère, parce qu'elle avait été couturière professionnelle quand elle était jeune, mais j'avais appris au fur et à mesure et le résultat n'était pas mal. Je n'osais toujours pas montrer la courtepointe à maman. À partir de ce moment-là, j'ai commencé à coudre mes propres vêtements. J'achetais des habits dans des boutiques d'occasion, je les coupais, mélangeais les morceaux et recousais le tout, en ajoutant des rubans, des perles ou de la dentelle pour créer de nouvelles robes que grand-mère aurait elle aussi adorées, j'en étais certaine.

Elle est morte quelques mois plus tard. Pendant les funérailles, maman n'arrêtait pas de pleurer. Papa a parlé au pasteur après le service et lui a dit que grand-mère serait beaucoup regrettée. Le pasteur lui a tapoté le bras et lui a chuchoté des paroles réconfortantes. Nous ne sommes pas allés chez tante Anna avec tout le monde, après la cérémonie. Papa a dit que maman était trop bouleversée et qu'elle avait besoin de rentrer à la maison. En arrivant, elle a préparé le souper et a regardé un documentaire sur l'aigle royal.

Je plie la courtepointe, la remets dans le sac de papier brun que je place dans mon sac de toile, sous mon étui à violon.

Il ne me reste déjà plus beaucoup de place.

J'enveloppe mes boucles d'oreilles et mon collier en coquillage dans les morceaux de la robe que je suis en train de coudre. Je glisse ce paquet d'un côté du sac et, de l'autre, la vieille boîte en bois de grand-mère qui contient mon nécessaire de couture.

Il me faut du papier et quelques crayons pour rédiger mes listes.

Ce sont les dernières choses que je range dans mon sac. Je me change et passe ma robe longue préférée, celle à fleurs qui, d'après papa, me fait ressembler à une clocharde, puis j'enfile mon gros chandail rose framboise par-dessus, pour avoir plus chaud. Je jette un œil à la feuille collée sur la porte de ma garde-robe. C'est la liste des morceaux de violon et des gammes que je pratique en ce moment.

– Ellie, Grace, on part maintenant! nous appelle maman d'une voix douce, en bas.

Je lance mon uniforme dans ma garde-robe, fourre mon portefeuille dans la poche de ma robe et attrape mon sac.

Je lance un dernier regard à ma chambre, aux lourds meubles bordés de cuivre et aux atroces rideaux bleu marine tout raides, et je sors en vitesse.

CHAPITRE 5

La voiture de maman est dans le garage. Elle a le droit de l'utiliser pour les urgences et, le vendredi, pour aller faire l'épicerie. Le samedi matin, elle donne à papa tous les reçus et la monnaie qui reste. Le vendredi suivant, quand il a eu le temps de tout vérifier, il lui donne assez d'argent pour aller acheter ce qu'il faut pour la semaine. Puisque c'est lui qui gagne l'argent, il dit que c'est à lui de décider comment le dépenser.

Il y a environ deux ans, tante Anna a obtenu une entrevue pour maman chez un fleuriste, pour un emploi à temps partiel qui lui aurait permis de gagner son propre argent. Quand papa a découvert où maman était allée, et qu'elle avait été engagée, il a piqué une crise et a lancé que, s'il travaillait autant, ce n'était pas pour que sa femme aille se promener comme une ouvrière.

Plus tard, cette nuit-là, je les ai entendus se disputer dans la cuisine. Ça m'a fait vraiment peur, alors je me suis levée, je suis descendue et j'ai dit que j'avais soif. J'espérais qu'ils arrêteraient leur dispute, mais ça n'a pas marché. Le lendemain, maman avait une coupure au-dessus de l'œil, qui était tout gonflé. Elle a expliqué, en évitant mon regard, qu'elle s'était cognée contre une porte de placard de la cuisine. Papa a passé son bras autour d'elle et l'a serrée gauchement en disant que c'était bien dommage que Mademoiselle l'Empotée ne puisse pas sortir avec cette tête-là.

Elle a appelé le gérant du magasin et lui a annoncé qu'elle était désolée, mais qu'elle ne pouvait pas aller travailler. Le samedi suivant, son œil était presque guéri, et papa nous a emmenées toutes les trois au parc d'attractions. Nous avons passé une journée merveilleuse. Il était vraiment gentil avec maman, et nous a acheté, à Grace et à moi, des bracelets avec nos pierres de naissance, des crèmes glacées et de mignons petits toutous, même si je lui ai dit que nous étions trop vieilles pour ça. Il a acheté à maman un superbe collier avec des perles métalliques enfilées sur une grosse chaîne, et elle a dit qu'elle le trouvait très joli. Elle ne le porte pas souvent, de peur de le casser.

J'ai fait au moins trois tours de chaque manège avec papa, et je n'arrêtais pas de rire dans la glissade aquatique, même si nous étions complètement trempés. J'ai même fait la «course de la mort», me jetant dans le vide pour glisser le long de la corde, et j'ai été drôlement fière et heureuse quand papa a déclaré que j'avais du cran.

Nous sommes rentrés à la maison et tout allait bien, sauf que nous n'avons plus revu tante Anna, même si maman avait promis qu'elle n'essaierait plus jamais de trouver du travail. Papa a souri et lui a lancé: «Ça, c'est ma p'tite femme!» J'ai cru que tout irait bien à l'avenir. Je n'étais qu'une enfant à l'époque et je ne savais rien à rien.

Quand nous arrivons dans le garage, maman est en train de mettre les valises et nos sacs de couchage dans le coffre de l'auto. Mon sac est très lourd et j'ai du mal à le hisser sur le siège arrière avant qu'elle m'aperçoive. Grace regarde le sac, qui gigote doucement, elle me lance un petit regard et je sais qu'elle sait.

- Il a intérêt à se tenir tranquille, me chuchote-t-elle en m'aidant à poser doucement le sac sur le sol de la voiture, hors de vue.

- Il dort toujours quand on est en voiture, je chuchote à mon tour, priant que ce ne soit pas différent ce soir.

- Une de vous monte devant, l'autre va derrière, nous dit maman en fermant délicatement le coffre. Et pas de dispute, hein?

Grace me jette un autre coup d'œil et sourit en s'installant à l'avant. Je m'assois à l'arrière, glisse en secret ma main dans mon sac et caresse doucement la fourrure du petit corps chaud et doux qui se trouve à l'intérieur.

Trente secondes plus tard, nous sortons de l'allée du garage et tournons dans la rue. Il pleut, maintenant. Dans une heure, papa arrivera à la maison, en s'attendant à manger du pâté à la viande. Il n'y aura pas de pâté à la viande et nous ne serons pas là non plus. Je me mets à rigoler. Je ne sais pas pourquoi, mais je n'arrive plus à m'arrêter, même si ce n'est absolument pas drôle. Nous passons le coin et je jette un coup d'œil à notre maison, derrière nous. J'ai le cœur qui se serre. Je ne peux pas m'empêcher de lancer:

- Que va dire papa?

Maman serre le volant des deux mains et ne détourne pas les yeux de la route.

- Ne t'inquiète pas, Ellie, dit-elle doucement. On sera tellement loin qu'on ne l'entendra pas.

CHAPITRE 6

⋙ Grâce ⋘

Est-ce que je suis en train de rêver ? Ou est-ce qu'on est dans le monde imaginaire d'Ellie ? Je suis sûre que, dans une minute, maman va faire demi-tour et nous dire : « Bon, c'est fini, l'aventure, on est allées assez loin – on ferait mieux de rentrer, maintenant. »

Elle ne le fait pas. Nous continuons de rouler et, comme c'est maintenant l'heure de pointe, la circulation devient moins fluide. Je dois garder mon calme. Je vais faire une ou deux listes.

OK.

Chat noir (qui porte chance).

Brigadier scolaire (grognon).

Livreur de pizza (boutonneux).

Homme qui creuse un trou (boueux).

Eh bien voilà. Ça marche. Tout va bien aller.

Homme perché sur un poteau de téléphone (instable).

Femme déguisée en poulet qui distribue des prospectus (bizarre).

Vieille dame avec une poussette qui...

Ellie se plaint du mal des transports.

– Je vais arrêter et tu pourras changer de place avec Grace, pour t'asseoir devant, dit maman.

Ellie ne veut pas s'asseoir devant, mais maman s'arrête tout de même, parce qu'on doit faire le plein. Pendant qu'elle remplit le réservoir, je me demande si elle a assez d'argent pour payer. On est seulement jeudi et papa ne lui donne rien avant le vendredi.

Je regarde par la fenêtre de la voiture et j'observe les chiffres changer, sur la pompe à essence, jusqu'à ce qu'ils s'arrêtent. Maman croise mon regard alors qu'elle replace le pistolet distributeur dans la pompe. Pour une fois, elle ne porte pas ses boucles d'oreilles en perle, ni le gros médaillon en or que grand-mère lui avait offert pour ses vingt et un ans.

Elle entre dans la station-service pour payer et Ellie ouvre le sac de toile. Bruno, tout endormi, sort le museau, bâille et renifle l'air, reconnaissant une odeur de nourriture. Tout à coup, il se tortille pour sortir du sac et se précipite à l'avant de la voiture.

– Grace, fais quelque chose ! m'ordonne Ellie, comme si j'étais capable de faire des miracles. Arrête-le !

Maman est déjà en train de se diriger vers la voiture et Bruno est déterminé à enfouir sa tête dans le sac en plastique posé à mes pieds. Je réussis à récupérer le sac, mais il est trop tard pour essayer de cacher Bruno.

– Oh, Grace, me dit maman en s'asseyant à la place du conducteur. Voyons, mais qu'est-ce que tu fabriques ?

Je baisse les yeux et serre plus fort le sac en plastique. Je sens mes lèvres se presser l'une contre l'autre.

– Grace, parle-moi ! insiste maman. S'il te plaît.

Mon regard croise le sien, mais je n'arrive pas à parler, pas le moindre mot ne sort. Le silence me transperce, comme un couteau.

Elle détourne les yeux et secoue tristement la tête.

– Ce n'était pas elle, c'était moi, lâche Ellie.

– Je t'avais dit que nous ne pouvions pas le prendre.

– Tout va bien aller, maman. Je vais m'occuper de lui. Promis. J'ai apporté des boîtes de nourriture pour chien, son bol et sa laisse. Tout est là, dans mon sac.

Maman reste là, assise, à regarder dehors et à se mordre les lèvres. Elle touche son cou, là où devrait se trouver son médaillon en or, pousse un petit soupir et se frotte la peau, juste au-dessous de ses bleus, comme si ça pouvait faire apparaître son médaillon par magie.

– Maman, s'il te plaît, la supplie Ellie.

Comme s'il comprenait la situation, Bruno saute sur les genoux de maman et se met à lui lécher le visage.

– Oh ! Bruno, arrête ! proteste maman, mais elle sourit presque, maintenant, malgré les larmes qui coulent sur ses joues.

Bruno est déconcerté et lèche encore plus fort, son museau frétillant à cause du goût salé des larmes de maman.

– OK. OK, doucement, Bruno, dit maman, finalement incapable de ne pas le flatter. Ellie, je t'avais dit qu'on ne pouvait pas l'emmener, mais il est là, maintenant, alors on va le garder.

Elle le pousse pour qu'il retourne à l'arrière de la voiture, près d'Ellie, qui enfouit son visage dans sa fourrure et l'entoure de ses bras comme si elle venait de retrouver un vieil ami. Nous repartons et prenons l'autoroute vers l'est.

Pourquoi maman a-t-elle enlevé ses boucles d'oreilles et son médaillon ? Elle ne les enlève jamais. Pourquoi les aurait-elle mis dans sa valise ?

Et tout à coup, je comprends. Je sais exactement ce qu'elle a fait : elle les a vendus afin d'avoir de l'argent. Et pour la première fois, je saisis vraiment la situation.

On ne va pas rentrer à la maison.

CHAPITRE 7

Pendant qu'on roule sur l'autoroute, maman demande à Grace de sortir des sandwichs du sac qu'elle a préparé. Ce sont mes préférés, au jambon et au fromage. Le pain est frais et croustillant, et je me souviens subitement que je n'ai rien avalé depuis le dîner et que je suis affamée. Je prends délicatement une minuscule bouchée de sandwich. Je n'ai plus mal au cœur, mais j'ai peur de mettre des miettes partout. Et puis je me rappelle que papa ne va pas les voir, parce qu'il ne va pas inspecter la voiture, alors je me détends et me mets à manger de bon cœur.

- Il y a aussi du gâteau, dit maman alors que j'attaque mon deuxième sandwich.

Grace fouille de nouveau dans le sac et, comme une magicienne, en sort deux grosses parts du délicieux gâteau caramel-banane de maman. Elle m'en tend une, et je ne peux m'empêcher de remarquer l'heure indiquée sur sa montre.

Grace l'a remarquée aussi. Elle se raidit et son visage pâlit lentement. Elle me jette un coup d'œil, se retourne et s'immobilise, son morceau de gâteau intact posé sur ses genoux. Je sais à quoi elle pense, parce que je pense à la même chose. À cet instant précis, papa doit passer la porte de la maison.

Quand il rentre le soir, la maison est toujours tranquille et impeccablement rangée, alors il n'aura pas de surprise en arrivant aujourd'hui. Il va poser sa mallette et ne va même pas remarquer que nous ne sommes pas là, en tout cas, pas tout de suite. Il va secouer son manteau pour le défroisser, puis l'accrocher soigneusement dans le placard de l'entrée, avant de passer dans la cuisine. Pas de maman. Il va renifler l'air. Pas de pâté à la viande au four. Il va peut-être soulever un peu la nappe pour jeter un œil sous la table. Pas de Bruno. Là, il sera vraiment perplexe. Méfiant, même. Il va frotter sa barbe du bout des doigts et ira voir dans le salon. Pas de devoirs sur la table. Pas de Grace. Pas d'Ellie. Pas de maman. Il va froncer les sourcils, se précipiter à l'étage et vérifier dans chaque chambre. Personne. Son regard sera vraiment dur et ses lèvres, serrées. Il aura cet air sévère qui annonce qu'il va sortir de ses gonds.

Mon cœur accélère. Je regarde Grace. Trois gouttes de sueur perlent sur son front blanc. Elle respire profondément et a visiblement du mal à avaler. Elle n'a pas touché au gâteau sur ses genoux.

- Maman... Je crois que Grace va être malade.

Maman se retourne et la regarde.

- Oh non, Grace... pas maintenant !

J'entends la panique dans la voix de maman. On est sur l'autoroute. Elle ne peut pas s'arrêter.

- Ouvre la fenêtre, respire un peu d'air frais... Grace, tu n'es jamais malade en voiture !

Grace ne l'écoute pas. Elle attrape un sac en plastique vide et vomit dedans.

L'odeur est atroce, mais nous n'avons pas le choix de continuer à avancer jusqu'à la prochaine sortie d'autoroute. Maman s'arrête sur l'accotement dès qu'elle le peut. Nous sortons toutes les trois de la voiture et avançons sur l'herbe. Maman demande à Grace de prendre des grandes respirations et lui donne de l'eau, pendant que je fais sortir Bruno de la voiture. Après avoir été enfermé si longtemps, il est excité d'être dehors et croit qu'on est arrivés. Il fonce tout droit sur la route.

- Bruno! je hurle en lui courant après.

Une voiture gris foncé tourne le coin et avance vers moi. Mon cœur bondit dans ma poitrine.

Souviens-toi, je vais toujours te démasquer, Ellie. Toujours. Si tu racontes des histoires, tu ne m'échapperas pas. Jamais. Les menaces que papa a proférées hier résonnent dans mes oreilles.

Maman me hurle de ne pas rester sur la route. Je ne bouge pas. Je n'y arrive pas. C'est lui. Il vient nous chercher. Il écrase les freins et s'arrête dans un crissement de pneus à quelques centimètres de moi.

- Ellie! crie maman. Elle m'attrape le bras, prend Bruno par son collier, et nous tire tous les deux sur le côté de la route. Mais qu'est-ce que tu fais?

- C'est papa! lui dis-je, trop effrayée pour regarder.

Je l'entends ouvrir sa fenêtre et me crier dessus. Sa voix est différente, aiguë, elle ne sonne pas du tout comme d'habitude. Je rassemble enfin assez de courage pour regarder, et je vois que ce n'est pas papa, en fait. Ce n'est même pas un homme barbu, c'est une femme aux cheveux gris et courts. Je me mets à glousser de rire. En fait, c'est tellement drôle que j'attrape un fou rire. J'avale de grandes gorgées d'air et c'est délicieux de laisser sortir du plus profond de moi ce drôle de bruit perçant, même si ça fâche encore plus la dame qui n'est pas papa.

- Je suis désolée, lui dit maman pendant que Grace prend Bruno dans ses bras. Vraiment désolée. Notre chien s'est enfui et...

La femme secoue la tête, marmonne quelque chose, puis repart. Maman me tient par le bras et me supplie d'arrêter, de me calmer - j'aurais pu me faire renverser par la voiture, qu'est-ce qui m'a pris de rester là, comme ça -, pourtant je n'arrive à penser qu'à une seule chose : ce n'était pas papa. Ce n'était pas lui. Il ne nous a pas trouvées. Petit à petit, j'arrête de glousser et je reste avec une sensation de vide et de fatigue, et un gros point de côté, comme si j'avais trop couru.

Maman me serre contre elle, puis nous remontons dans la voiture et reprenons l'autoroute. C'est long, très long, et il n'y a rien à voir, à part les phares avant et arrière des autres voitures et des camions. Maman allume la radio, mais personne ne l'écoute, alors elle l'éteint finalement et nous avançons en silence. Grace ferme les yeux. Je pense qu'elle fait seulement semblant de dormir. Il y a moins de voitures, maintenant, et il commence à se faire tard.

- Essaie de dormir, si tu peux, me chuchote maman par-dessus son épaule.

- Où allons-nous?

Elle ne me répond pas.

- Maman? Nous n'allons pas rouler éternellement.

- Non, bien sûr que non. Dors un peu. Je te réveillerai quand on sera arrivées.

Dehors, la nuit est tombée, mes paupières sont lourdes, et même si je sais que je ne vais pas réussir à dormir, j'ai de plus en plus de mal à garder les yeux ouverts. Bruno se blottit tout contre moi et bâille.

CHAPITRE 8

⋙ Grâce ⋘

La dernière chose que je m'attendais à voir en me réveillant est une mer bleu-vert qui scintille, et pourtant elle est là, avec ses étincelles magiques qui miroitent devant moi, magnifique comme sur une carte postale, mais effroyablement proche. L'eau est agitée et des vagues avec des crêtes de mousse déferlent sur la plage de sable, juste au-dessous de nous, puis retournent se fracasser sur des rochers en repartant vers le large. Le soleil brille. Le vent fort pousse des nuages cotonneux dans le ciel et, de temps en temps, des rafales puissantes secouent la voiture. Il n'y a que nous dans le stationnement, et on dirait qu'on a roulé jusqu'au bout du monde et qu'on s'est arrêtées juste à temps.

Je regarde maman, profondément endormie à côté de moi, la joue posée sur sa main. Son léger froncement de sourcils froisse la peau délicate de son front. Le bleu, sur son cou, a l'air douloureux. Elle a étendu sur nous deux mon sac de couchage fermé, mais il a glissé et ne la couvre plus complètement, alors je le replace doucement sur elle. Elle s'agite comme un enfant, pousse un petit gémissement, sans se réveiller.

Sur le siège arrière, Ellie est recroquevillée avec Bruno, tous les deux roulés sous son sac de couchage, et on ne voit dépasser que le haut de leurs têtes. Bruno pousse ces drôles de petits grognements qu'il fait souvent quand il dort et, d'après son museau qui s'agite, je pense qu'il est en train de chasser des lapins en rêve. Il est sept heures du matin et il n'y a personne autour de nous. Une volée de mouettes passe au-dessus de nos têtes, le ciel résonnant de leurs cris assourdissants. Bruno se réveille et aboie, tout excité, ce qui réveille instantanément maman et Ellie.

– On est arrivées ? demande Ellie en s'asseyant, encore à moitié endormie.

Elle regarde par la fenêtre de la voiture et elle est si étonnée que sa mâchoire tombe.

– Ooohhh...

Sa voix s'estompe et elle regarde fixement la mer scintillante comme s'il s'agissait d'un mirage.

– Je suis venue ici en vacances une fois, quand j'avais dix ans, commence maman doucement. Avec Anna, grand-mère et grand-père, l'année avant sa mort. J'imagine que ç'a dû bien changer.

Nous restons là, à observer la mer par le pare-brise.

– Hé, qu'est-ce que c'est que ça ? crie soudain Ellie.

Elle pointe du doigt trois ballons gris foncé qui dansent sur l'eau. Perplexes, nous observons ces trois ballons, et nous nous rendons compte qu'ils ont des yeux, des museaux et des moustaches.

– Des phoques ! lance maman, tout excitée. Ce sont des phoques !

Je n'ai jamais vu de phoques ailleurs qu'à la télé, et une fois au parc d'attractions où papa nous avait emmenées après avoir battu maman la première fois. Maman savait que je déteste tous les manèges qui font hurler les gens et que j'ai du mal avec les hauteurs – monter sur une chaise est déjà toute une aventure – et papa commençait à s'énerver, parce que les billets d'entrée avaient coûté une fortune et que je ne voulais rien essayer. Maman a alors suggéré que nous allions regarder un peu les animaux. Comme, finalement, les voir enfermés dans leurs minuscules cages et enclos était encore plus déprimant, papa et Ellie sont repartis essayer des manèges.

Maman et moi sommes allées nous asseoir près de la piscine de béton blanc et avons observé les gardiens lancer des morceaux de poisson à des phoques quand ceux-ci appuyaient sur une sonnette, claquaient des nageoires ou démontraient d'autres talents marins essentiels. Puis, les phoques se sont complètement détournés des gardiens une fois tous les poissons mangés. Ils se sont allongés là où ils se tenaient et se sont mis en grève, ce qui m'a secrètement donné envie de les applaudir et de les acclamer.

À la fin du spectacle, j'ai regardé maman pour voir si elle voulait partir. Elle était assise près de moi, parfaitement immobile, mais j'ai vu des larmes couler sur ses joues sous ses lunettes de soleil, malgré le sourire figé sur sa bouche. J'ai attrapé sa main et je l'ai serrée très fort. Nous avons regardé le spectacle de nouveau, jusqu'à ce que papa et Ellie nous retrouvent.

Les phoques qui nagent maintenant ont l'air très diffé-rents. Ils sont pleins d'énergie. Nous passons un temps fou à les regarder jouer autour des rochers, et puis ils nagent vers la haute mer et disparaissent.

– Grand-père blaguait souvent en disant que les phoques étaient en réalité des sirènes déguisées, explique maman. Il nous avait raconté une histoire, dans laquelle leurs larmes devenaient des perles extrêmement précieuses. Et nous l'avions cru. Anna et moi nous levions souvent de bonne heure pour aller chercher ces perles dans les algues, sur la plage.

– Je parie que ceux-là sont les petits-enfants de ceux que vous avez vus à l'époque, dit Ellie.

Elle a hâte de sortir et d'aller explorer les environs. Maman lui ordonne d'accrocher la laisse de Bruno à son collier avant d'ouvrir la portière de la voiture. Ça fait du bien d'être dehors dans l'air salé après avoir été coincées dans la voiture pendant si longtemps. Nous versons de l'eau dans la vieille gamelle qu'Ellie a apportée, puis nous partons nous promener sur le chemin. Nos cheveux, balayés par le vent, volent devant nos visages, et nous avons l'air un peu folles, mais nous nous en moquons toutes les trois. Bruno est excité, lui aussi, et tire sur sa laisse. Il voudrait explorer tous les creux et tous les trous dans la courte herbe verte, au cas où ce serait l'entrée d'un terrier de lapin. Nous descendons lentement le chemin jusqu'à la plage, où nous enlevons nos souliers pour marcher pieds nus sur le sable mouillé.

Il y a quelques personnes autour de nous, maintenant, qui pêchent ou promènent leur chien. Nous nous dirigeons vers la petite cabane branlante en bois et montée sur pilotis, tout au bout de la plage.

– Avant, c'était un café, nous dit maman.

– J'espère que ça n'a pas changé, parce que je suis affamée, fait Ellie.

C'est toujours un café, mais c'est fermé. Déçues, nous nous assoyons sur les marches en bois usées par les intempéries, en nous demandant ce que nous allons faire, quand un vieil homme à l'air farouche et avec une tignasse de cheveux blancs apparaît dans le cadre d'une fenêtre et nous fixe du regard. Nous sursautons toutes les trois et Ellie pousse un petit cri.

Il déverrouille la porte et passe la tête dehors.

– On ouvre à huit heures ! lance-t-il d'un ton brusque.

Ellie fait une grimace, et il le remarque.

– Vous vouliez un déjeuner ou seulement des boissons ?

– Euh, des déjeuners, s'il vous plaît, lui demande maman.

Il lève la main en direction d'un pêcheur qui se dirige vers la cabane avec un seau et une canne à pêche.

– Bon, entrez donc, annonce-t-il d'un ton bourru. Je ferais aussi bien de préparer vos déjeuners en même temps que celui de Bill.

Le vieil homme est un peu impressionnant, mais nous n'avons pas besoin qu'on nous le dise deux fois. Maman attrape la laisse de Bruno et se prépare à l'attacher quand l'homme émet un petit bruit désapprobateur.

– Oh, mais qu'il rentre ! Ici, on ne fait pas de manières.

CHAPITRE 9

Le vieil homme nous apprend qu'il a soixante-dix ans et qu'un de ses genoux est douloureux quand il fait froid et humide, comme aujourd'hui. Son ton de voix donne l'impression que c'est notre faute, mais maman lui répond qu'elle sait à quel point c'est terrible de souffrir d'arthrite, parce que sa mère en avait. Ça le calme un peu. Il nous annonce qu'il s'appelle Stan et qu'il est trop vieux pour toute cette histoire de restaurant, et ajoute que nous devrions nous asseoir.

Six tables sont tassées dans la salle, chacune entourée de trois ou quatre chaises. Les chaises sont toutes dépareillées. Ça me plaît, parce qu'on peut ainsi choisir la chaise qu'on préfère selon notre taille ou notre humeur. On s'assoit autour d'une table recouverte d'une nappe à carreaux rouges et blancs. Je remarque que la nappe est déchirée au milieu et que les fleurs dans le vase sont fanées depuis au moins un siècle. Papa se serait plaint et serait parti tout de suite. On dirait que maman ne remarque rien de tout ça.

Toutes sortes d'objets sont entassés contre les murs du café: des seaux en métal, des filets et des cannes à pêche, des coquillages rosés géants et même une vieille ancre rouillée appuyée aux panneaux de bois, dans le coin, près d'un piano délabré. Coincés entre un échafaudage de casiers à homard et ce qui ressemble à un engin de torture (mais qui n'est qu'une essoreuse à l'ancienne qui servait à tordre le linge mouillé pour en faire sortir l'eau, m'explique maman), on voit une bibliothèque croulant sous des livres sur les poissons tropicaux, une collection de cactus épineux et poussiéreux, et un bocal à poissons rouges vide. Peut-être que Stan déteste s'occuper du café parce qu'il rêverait, en fait, de tenir une brocante.

Pendant qu'il fait frire des saucisses, du bacon, des œufs et des tomates dans la plus grande poêle que j'aie jamais vue, il nous raconte que sa femme, Daphné, et lui sont les propriétaires du café, ainsi que d'un camping de caravanes, pas loin. Il nous demande où nous logeons.

– On ne sait pas trop encore, répond maman en replaçant son écharpe nerveusement pour bien couvrir les bleus sur son cou. On vient juste d'arriver.

– J'ai des caravanes libres avant le début de la saison. Vous pensez rester combien de temps ?

Maman est visiblement troublée. Je vois bien qu'elle ne sait pas quoi répondre. Stan n'a pas l'air de s'en rendre compte et attend une réponse.

– Euh... quelques semaines... peut-être plus.

Un éclair de surprise passe sur le visage ridé et hâlé de Stan, et puis il hoche la tête.

– On est parties un peu rapidement, j'interviens. Maman s'est dit que ce serait agréable de prendre un peu de vacances, et nous, on a trouvé que ce serait super. On a dit, allez, on le fait, on va à la mer... et nous voilà.

Je sors un drôle de petit rire. Grace me lance un regard furieux pour me faire taire, mais il n'y a pas moyen de m'arrêter, et je continue à bafouiller.

- C'est vraiment charmant, par ici! On vient de voir des phoques. Certaines personnes croient que, en réalité, ce sont des sirènes, et que leurs larmes peuvent se transformer en perles. Ce serait génial, non? Il suffirait de les trouver, de les ramasser dans un seau ou quelque chose comme ça, et puis on serait riche. On pourrait vivre comme on veut. Plus de soucis. Plus jamais...

Je m'arrête enfin, à court d'idées.

- Tu entends ça, Billy? demande Stan en riant au vieux pêcheur assis dans un coin. Je t'avais bien dit que tu perdais ton temps avec tes poissons.

- Hmm. Je n'en attrape jamais, de toute façon, répond Bill d'un air sombre, tandis que Stan prépare nos assiettes et nous les apporte.

Nous le remercions poliment quand il les pose devant nous, et je m'attaque à mon déjeuner de bon cœur.

- Eh bien, vous n'aviez pas très faim, hein? plaisante Stan en restant près de la table à nous regarder manger, ce qui rend Grace nerveuse, mais ne m'embête pas, moi. Maman lui répond que c'est délicieux et le remercie encore, alors que son bacon est brûlé et ses jaunes d'œufs, en morceaux. Quelques secondes plus tard, il a l'air d'avoir décidé quelque chose.

- Je peux vous louer une caravane à un prix intéressant. Elle est plutôt petite et ce n'est pas la meilleure du camping, mais elle est propre et contient tout ce dont vous avez besoin. Vous pouvez la louer à la semaine et rester aussi longtemps que vous le voulez.

- Merci, dit maman, l'air soulagée. Merci beaucoup. Ce serait... parfait.

Stan hoche la tête, puis retourne derrière le comptoir pour accueillir un couple de randonneurs poussés par le vent, qui viennent déjeuner.

Quand nous avons fini de manger, maman paye et Stan attrape sa canne. Il laisse Bill s'occuper du café et nous prenons un chemin sablonneux qui passe entre les dunes et nous mène jusqu'à un grand pré bordé d'arbres et de buissons. Des rangées de caravanes sont alignées sur l'herbe. Certaines sont immenses, d'autres, minuscules, et quelques-unes ont leur propre petit jardin entouré d'une clôture. Nous nous dirigeons vers une cabane sans fenêtres que Stan appelle son bureau, près de l'entrée du camping qui donne sur la route. Il la déverrouille et nous attendons à l'extérieur pendant qu'il cherche la clé de notre caravane.

- Je vais seulement avoir besoin que vous me donniez un petit montant en caution, explique-t-il à maman en lui donnant plusieurs clés sur un porte-clés.

Maman a l'air inquiète et s'excuse en marmonnant qu'elle va devoir passer à la banque. Je suis étonnée, parce que je sais que maman n'a pas de compte en banque, et je jette un coup d'œil à Grace, qui me lance encore un regard sévère pour me dire «tais-toi!».

- Ce n'est pas pressé, répond Stan en verrouillant la porte derrière lui.

- Merci, répète maman.

- Caravane numéro vingt et un.

Il pointe du doigt l'extrémité opposée du camping.

- C'est juste en face du chemin qui mène aux pierres.

- Les pierres? je demande.

- Vous ne pourrez pas manquer les Jeunes Filles. Mais essayez donc de les compter toutes...

Je le regarde, perplexe. Il n'explique pas de quoi il parle.

- Je ferais mieux de rentrer. Bill n'est pas exactement un grand chef cuisinier. La dernière fois que je l'ai laissé s'occuper de la cuisine, il a essayé de faire frire les fèves au lard.

Et il reprend le chemin du café en boitant.

Nous nous dirigeons vers l'autre extrémité du pré et commençons à chercher la caravane numéro vingt et un. Nous passons devant une dame aux courts cheveux blonds, portant des lunettes à monture foncée. Elle est assise sur les marches de sa caravane, emmitouflée dans un manteau rouge. Elle est en train de pianoter sur le clavier de l'ordinateur portable posé sur ses genoux. Elle lève la tête, nous sourit et nous fait un petit signe de la main.

Selon papa, les caravanes n'ont vraiment rien d'extraordinaire. Pourtant, secrètement, j'ai toujours rêvé de loger dans l'une d'elles. J'adore l'idée de vivre dans une maison miniature qui roule. Tout à coup, j'ai chaud, puis froid, en me demandant ce que papa est en train de faire en ce moment. Il devrait être en chemin pour se rendre au travail, mais est-ce qu'il agit comme d'habitude ou est-ce qu'il est en train d'essayer de nous trouver? Pourrait-il nous trouver? Je suis sûre que maman ne lui a rien dit sur l'endroit où nous allions, mais il a toujours su soutirer des secrets aux gens. Je regarde vers l'entrée du camping, en m'attendant presque à voir sa voiture arriver à tout moment.

- Ellie! m'appelle maman. Numéro vingt et un! On a trouvé!

Je me retourne et je vois maman et Grace, debout près d'une caravane vert pâle défraîchie, entourée de ronces et posée dans un coin du camping, près d'un chemin. Bruno n'a pas peur de se faire piquer et part renifler le bas de la caravane en agitant la queue frénétiquement. Je vérifie de nouveau l'entrée du camping et m'ordonne d'arrêter de m'inquiéter, puis je cours rejoindre maman et Grace. Maman trouve la bonne clé et déverrouille la porte de notre nouveau chez-nous.

CHAPITRE 10

≫ *Grâce* ≪

– Beurk! Ça sent mauvais, on dirait qu'il y a un cadavre, là-dedans! fait Ellie en fonçant le nez quand nous entrons dans la caravane.

– N'exagère pas, ma chouette, lui répond maman. C'est juste qu'elle n'a pas été occupée depuis longtemps.

Elle va à la fenêtre et essaie de l'ouvrir, mais celle-ci est verrouillée aussi, alors maman cherche la bonne clé dans le trousseau.

– L'odeur va disparaître.

En ouvrant la fenêtre, elle a l'air soucieuse, mais je ne crois vraiment pas que ce soit à cause de l'odeur de renfermé. Non, elle se demande plutôt comment elle va bien pouvoir payer Stan. Je glisse la main dans la poche de ma robe et en sors mon petit portefeuille brodé. Je ne sais plus s'il y a de l'argent dedans. Je l'ouvre et y trouve un morceau de papier sur lequel j'ai dressé la liste de mes stylistes de robes préférés ainsi que le billet de cinquante dollars que papa m'a donné il y a quelques semaines pour avoir réussi mon dernier examen de violon. Je tends l'argent à maman et elle me prend dans ses bras.

– Merci, ma chérie, chuchote-t-elle.

– Je n'ai pas d'argent du tout, dit Ellie en me jetant un regard mauvais avant de regarder maman anxieusement.

– Ne t'inquiète pas, ma chouette. D'une manière ou d'une autre, on va se débrouiller. Allez, courage ! On va se mettre à l'aise !

Alors on explore notre nouvelle maison. Elle comprend :

Une petite chambre avec des lits superposés (pour Ellie et moi).

Une minuscule salle de bains (plus petite que ma garde-robe, à la maison).

Une pièce commune (avec deux banquettes rembourrées et une table, qui se convertissent en lit pour maman).

Une étroite cuisine (composée de quatre placards, d'un tout petit évier, d'un réfrigérateur et d'une cuisinière).

Et c'est tout.

Maman part chercher la voiture. À son retour, nous déchargeons ce que nous avons apporté et passons les deux heures suivantes à nettoyer, à balayer et à épousseter partout, jusqu'à ce que la caravane soit propre et sente le frais. Maman sort et commence à couper les ronces qui poussent près de la porte pendant qu'Ellie et moi rangeons nos affaires dans les petits casiers de la chambre. Je m'apprête à poser mon étui à violon sur l'étagère, près de mon nécessaire à couture, quand, tout à coup, j'éprouve un violent sentiment de culpabilité, parce que je suis censée pratiquer mon violon au moins une heure par jour.

Avec hésitation, je sors mon violon de l'étui et je joue quelques notes. Je n'arrive pas à me souvenir du morceau que je suis en train d'apprendre, et je n'ai pas apporté mes partitions. C'est alors que je me rends compte que ça n'a plus d'importance, et ma frustration disparaît. Je laisse tomber le morceau d'examen et commence à improviser mes propres versions de mes chansons du moment. Je me mets à jouer de plus en plus fort, en prenant confiance en moi, et Ellie ferme les yeux et se met à agiter les bras au-dessus de sa tête, comme si elle était dans un concert de musique pop.

– C'est comme si on était en vacances, dit-elle.

Ce n'est pourtant pas le cas. Du plus loin que je me rappelle, les vacances avec papa ont toujours été horribles. Nous étions sans cesse extrêmement sages, nous marchions sur des œufs pour ne pas le fâcher. Nous devions constamment avoir les cheveux attachés et nous ne pouvions pas faire les folles et être bruyantes, comme maintenant. Il aurait piqué une crise. Nous n'avons pas à marcher sur des œufs, maintenant, nous dansons dessus !

Maman apparaît à la porte, de délicates fleurs roses dans les bras.

– Ce sont des églantines, des roses sauvages, nous dit-elle. Ça ne fleurit qu'une fois par an. Je les ai trouvées sous les ronciers.

Elle enlève son manteau et son écharpe et, malgré le bleu sur son cou, plus foncé qu'hier, elle rit et se met à danser avec Ellie. Bruno arrive en bondissant, bien décidé à ne pas manquer la fête, mais la pièce est bien trop petite pour que trois personnes et un chien puissent sauter partout sans s'assommer. Au bout d'une minute, maman et Ellie s'effondrent sur le lit du bas et tentent de reprendre leur respiration, tandis que Bruno leur saute dessus et les lèche à n'en plus finir.

Je termine mon morceau sur une fioriture et maman et Ellie m'applaudissent, alors je fais une petite révérence, puis je range mon violon dans son étui.

– Je ne t'avais jamais entendue jouer comme ça avant! lance Ellie, stupéfaite.

Personne ne m'a jamais entendue jouer comme ça.

J'ai adoré apprendre le violon, jusqu'à ce que papa se rende compte que j'étais plutôt bonne, et qu'il commence à me mettre de la pression. Je devais répéter chaque morceau des dizaines de fois, pour obtenir les meilleures notes à chaque niveau, même quand j'avais l'impression que ma tête allait exploser. J'ai rapidement appris à ne plus montrer que j'étais bonne dans un domaine, tout comme maman cache ses coupures et ses bleus.

En posant mon violon sur l'étagère, je remarque le sac de papier brun. Je le tends à maman, qui regarde dedans et en a le souffle coupé.

– Oh, Grace, je n'arrive pas à le croire! Tu l'as récupérée!

Elle prend doucement la courtepointe pliée et la respire, comme si elle pouvait encore sentir la faible odeur laissée par les doigts de grand-mère quand elle la fabriquait. Elle se rend dans la pièce principale et l'étale délicatement sur la banquette.

Elle la regarde comme si elle n'arrivait pas à saisir l'ampleur de la situation.

– Tellement de souvenirs, chuchote-t-elle en secouant légèrement la tête, tous cousus ensemble dans cette couverture...

Elle passe les doigts sur les morceaux de tissus et son visage se décompose lentement, comme si elle allait pleurer.

– Ne sois pas triste, maman, dit Ellie. Grand-mère serait vraiment heureuse si elle savait que tu as encore cette courtepointe.

– Je sais, fait maman en hochant la tête.

Elle pose le bout des doigts sur un carré de tissu couvert de marguerites jaunes et blanches, et un sourire illumine son visage.

– Quoi ? demande Ellie.

– C'était ma plus belle robe d'été quand j'étais jeune. C'était grand-mère qui l'avait cousue. Elle avait des poches et un col blanc, et je l'ai portée pour la première fois pour aller passer mon examen d'entrée pour le programme enrichi au secondaire.

– Je ne savais pas que tu avais suivi un programme enrichi ! lance Ellie, impressionnée.

– J'ai bien failli ne pas pouvoir. Le jour de l'examen d'entrée, la voiture de grand-père ne voulait pas démarrer. Nous vivions dans un petit village, et il n'y avait pas de bus, mais j'étais bien décidée à tout faire pour passer cet examen, alors nous sommes partis à pied, même si nous savions tous les deux que nous n'avions pas beaucoup de chance d'arriver à temps. Heureusement, nous avions parcouru environ un kilomètre quand un tracteur a voulu nous dépasser. Grand-père lui a fait signe de s'arrêter et a convaincu l'agriculteur de faire un détour. Je peux vous dire que j'ai fait une entrée remarquée. Je suis arrivée en tracteur, quand la plupart des autres jeunes filles étaient venues dans des voitures chics avec leurs parents.

Elle a gloussé et, tout à coup, je l'ai vue, à douze ans, avec des tresses et sa robe à fleurs jaunes et blanches.

– Je n'oublierai jamais comment elles m'ont regardée, le nez froncé.

– Mais tu as réussi ton examen...

Maman a hoché la tête timidement.

– J'ai même obtenu une mention d'excellence.

– Tu étais vraiment brillante, alors !

Maman a haussé ses épaules frêles.

– Peut-être...

Elle a baissé la tête.

– En tout cas, je ne le suis plus.

Je me rappelle tout à coup comment papa l'appelle : « Espèce de pauvre imbécile, ce n'est pas possible d'être aussi stupide ! » Il lui dit même parfois des choses bien pires.

CHAPITRE 11

❧ Ellie ☙

Nous donnons à manger à Bruno et plions le tapis qui couvrait le fond du coffre de la voiture pour lui faire un lit, puis Grace et moi partons en exploration. Nous prenons le chemin qui conduit dans le bois, derrière notre caravane. Nous arrivons rapidement dans une clairière entourée d'arbres. Il n'y a personne et c'est incroyablement silencieux. Tout autour de la clairière, de vieilles pierres usées par les intempéries sont réparties en cercle. Certaines sont aussi grandes et minces que nous, d'autres sont plus petites ou plus grosses, d'autres encore sont à moitié enfouies dans l'herbe, à peine visibles.

Nous commençons à les compter.

- Quinze, lance Grace fermement.

- Non, seize. As-tu compté la petite, là-bas, près du buisson ? je lui demande, convaincue d'avoir raison.

Nous recomptons toutes les deux. Cette fois, Grace en dénombre seize, mais je n'en ai repéré que quinze. Pourtant, je suis certaine d'avoir compté la petite près du buisson.

- Je me demande pourquoi Stan les appelle les Jeunes Filles, dit Grace. Elles ne ressemblent pas du tout à des filles, ni à des gens, d'ailleurs.

- De toute évidence, il est un peu fou, je lui réponds en haussant les épaules. Soyons honnêtes, son café est plutôt bizarre, encombré de tous ces vieux trucs.

Une autre idée me vient en tête.

- Ou bien... c'est peut-être sa femme qui a perdu la tête, et il appelle ces pierres des jeunes filles parce que sa femme est persuadée que ce sont des personnes. Et toutes les vieilleries dans le café sont à elle, et elle en accumule de plus en plus. Il lui demande d'arrêter, mais elle ne l'écoute pas, du coup ils croulent sous les vieux machins... Il finit par l'enfermer à la maison, comme la femme de monsieur Rochester dans *Jane Eyre*... sauf qu'ils sont tous les deux vieux et bien plus ridés, et qu'ils n'ont pas de grenier, juste un bungalow avec une petite chambre à l'étage...

Comme d'habitude, Grace ne m'écoute pas. Elle touche doucement la plus haute des pierres, effleurant sa surface rugueuse du bout des doigts. Elle frissonne.

- Qu'est-ce qui va se passer, Ellie ? me demande-t-elle brusquement.

- Comment ça ? Tu as peur qu'elle arrive à se glisser dehors pendant la nuit et à mettre le feu au café, ou je ne sais où ?

- Mais non ! Pour nous. Maman, toi et moi.

Je réfléchis pendant un moment avant de répondre. Pourquoi les fins heureuses seraient-elles réservées aux histoires qu'on raconte ? Ce ne serait pas juste. Moi aussi, je veux une fin heureuse.

- On va commencer une toute nouvelle vie, et ça va être absolument merveilleux. Grace, personne ne nous connaît, ici. Nous pouvons choisir d'être qui nous voulons.

- Et papa? S'il nous trouve?

Je ne veux pas y penser.

- Et comment pourrait-il nous trouver? je réponds nerveusement. Il ne sait pas où nous sommes.

Tout à coup, nous ne sommes plus d'humeur à explorer, alors nous rentrons à la caravane. En chemin, nous croisons la dame au manteau rouge, un carnet et un appareil photo à la main. Elle n'a pas l'air en vacances, on dirait plutôt qu'elle travaille.

- Vous êtes bien installées? nous demande-t-elle en souriant.

- Oui, merci, je lui réponds en essayant de ne pas avoir l'air trop suspicieuse.

- Au fait, dites à votre mère qu'elle joue incroyablement bien du violon...

- Oh, non, c'était Grace.

La femme se tourne vers ma sœur:

- Tu as beaucoup de talent. Depuis combien de temps prends-tu des cours?

Grace la regarde nerveusement, sans répondre. Il y a un silence gênant. Je dois dire quelque chose, sinon nous aurons toutes les deux l'air bizarres. Si elle est détective privée et qu'elle a été engagée par papa, j'ai déjà tout fichu en l'air.

- Environ quatre ans, je réponds avec méfiance.

La dame a l'air étonnée, mais elle nous sourit à toutes les deux.

- En tout cas, c'était merveilleux de t'entendre en jouer. Ça m'a aidée à réfléchir, ça m'a vidé l'esprit. J'étais complètement bloquée, je n'arrivais pas à me mettre à mon chapitre suivant. Après ton morceau, je savais soudain exactement quoi écrire.

- Vous êtes écrivaine? On ne dirait pas.

- Eh bien, j'en suis désolée... À quoi ressemble un écrivain, alors?

- Je ne sais pas. Je n'en avais jamais rencontré.

Elle a l'air bien trop ordinaire, presque débraillée. Je ne lui dis pas non plus que j'ai déjà voulu être une écrivaine prestigieuse, riche, en talons hauts et avec des vêtements chics - pas du tout comme elle, quoi.

- Je fais des recherches pour mon prochain livre. En ce moment, je prends des notes et je planifie tout.

- Il parle de quoi?

- Des mythes et des légendes de partout au pays.

- Est-ce qu'il y a des vampires?

- Euh, non, pas pour l'instant...

Elle remarque ma déception.

- Mais il y a plein d'autres anecdotes sanglantes. Stan m'aide beaucoup. Il connaît très bien le folklore des environs.

- Il nous a dit d'essayer de compter les pierres, dans la clairière.

- Il m'a suggéré la même chose. En fait, je les compte chaque jour et je n'ai jamais obtenu le même résultat deux fois de suite. C'est désespérant!

- Nos résultats ont changé aussi, d'une fois à l'autre.

- Eh bien, apparemment, c'est la beauté de la chose. Juste quand on pense avoir repéré toutes les Jeunes Filles, quelque chose se produit et tout change. Ça fait deux semaines que je suis ici, et je ne sais toujours pas quoi penser de ces pierres. Tout ce que je sais, c'est que quelques-unes ne sont pas très solidement enterrées dans le sol.

- Je suis sûre que quelqu'un les déplace en plein milieu de la nuit.

- Peut-être, répond-elle avec un petit rire. Un peu de mystère est bon pour le tourisme. Hier, j'ai vu que la boutique de souvenirs vendait des cercles de pierres phosphorescents.

- Mais pourquoi les appelle-t-on les Jeunes Filles?

- La légende principale, parce qu'il en existe beaucoup, dit que la foudre a transformé des jeunes filles en pierres. C'est une punition un peu extrême pour avoir dansé un dimanche, vous ne trouvez pas?

Elle secoue la tête et sourit.

- Bon, je dois travailler un peu. Je m'appelle Suzanne, au fait. Suzanne Guay.

Elle se tourne vers Grace:

- Je vais tendre l'oreille pour t'entendre jouer, alors n'hésite surtout pas à pratiquer ton violon aussi souvent que tu le veux. Et puis, on ne sait jamais, tu vas peut-être les réveiller et les faire danser de nouveau..., ajoute-t-elle en faisant un signe de tête vers les pierres.

Grace sourit poliment et nous repartons sur le chemin, jusqu'au camping. Je n'arrête pas de penser à papa, alors j'essaie de me distraire en imaginant des personnes que je n'ai jamais rencontrées : les jeunes filles qui dansent, la femme folle de Stan, mon grand-père qui détourne un tracteur pour emmener ma mère passer son examen. S'il était encore vivant, il pourrait sûrement nous aider. Je pousse un petit soupir. Il n'est pas là. Nous ne pouvons compter que sur nous-mêmes.

Tout à coup, une idée surgit dans mon esprit. Prise d'une impulsion, j'annonce à Grace que je vais juste faire un tour à la plage et que je reviens dans quelques minutes. Je me dépêche de partir avant qu'elle ait le temps de me faire changer d'idée. J'arrive au café et je jette un coup d'œil à l'intérieur. C'est l'heure du dîner, maintenant, et il y a du monde. Je prends mon courage à deux mains et pousse la porte.

- Encore toi ? jette Stan d'un ton brusque, en posant des assiettes chargées de saucisses et de frites devant deux clients avant de retourner rapidement en cuisine en chercher d'autres.

- Excusez-moi, l'appelle une dame assise à une table près de moi, nous avons commandé des pâtisseries...

- Ça vient, répond Stan.

Il a l'air énervé, maintenant.

- Je n'ai pas le temps de bavarder, me lance-t-il sèchement. Si je n'apporte pas quatre pâtisseries et un bol de frites à cette table, ça va être la catastrophe.

Je profite de l'occasion et lui réponds, en le suivant jusqu'au comptoir:

- Vous avez besoin d'aide.

Il sort les pâtisseries du réfrigérateur.

- En effet, mais ça ne risque pas d'arriver.

- Ma mère cherche un travail.

- Je croyais que vous étiez ici en vacances?

Il se dépêche de plonger des frites dans une casserole pleine d'huile bouillante.

- Eh bien... Oui, mais...

Stan me regarde dans les yeux, ce qui est plutôt effrayant. Je ne bronche pas, même si je me demande si c'est une bonne idée d'aider maman à obtenir un travail ici, étant donné que Stan est vraiment grognon. En plus, il a enfermé sa femme mentalement malade dans sa chambre! Je me lance:

- C'est un peu compliqué, mais elle cuisine très bien et vous avez besoin d'aide, donc vous pourriez voir si ça vous convient...

- Et qu'est-ce qu'elle dirait de ce plan que tu as imaginé?

- Elle sauterait sur l'occasion, je mens. En fait, pas plus tard que la semaine dernière, elle nous disait qu'elle adorerait s'occuper d'un café comme celui-là...

Grâce aux années passées à raconter des histoires au sujet de papa et de ce qui se passait à la maison, je suis devenue une menteuse plutôt convaincante. Je n'en suis pas fière, mais c'est à peu près la seule chose dans laquelle j'excelle.

Trois nouveaux clients entrent et s'assoient à une table qui n'est pas encore débarrassée. Ils regardent la vaisselle sale et l'un d'eux marmonne quelque chose sur d'autres endroits où ils pourraient aller manger.

– Je suis à vous dans un instant, leur lance Stan.

– Si maman travaillait ici, vous pourriez passer plus de temps avec Daphné, j'ajoute en surveillant sa réaction.

Il fait une grimace, puis acquiesce d'un ton bourru :

– OK, dis à ta mère de venir me voir ici à cinq heures. J'en parlerai avec elle.

– Marché conclu.

– Je précise que je ne te promets rien.

– Je sais, merci. Au revoir, alors…

Il hoche la tête, puis se hâte pour apporter aux clients les pâtisseries et les frites tandis que je file vers la porte.

– Oh, au fait, j'ajoute, on a compté les pierres…

– Et ?

– Quinze ?

Stan éclate de rire.

– Seize ?

Il secoue la tête :

– Pff…

CHAPITRE 12

⫸ Grâce ⫷

Quand Ellie me raconte son plan, je lui avance toute une liste de raisons pour lesquelles c'est une mauvaise idée. Comme d'habitude, elle est lancée et déterminée à convaincre maman.

– C'est carrément parfait! proteste-t-elle. Tu aides au café et Stan nous laisse vivre gratuitement dans la caravane. Il n'y a pas mieux!

– Ce n'est pas comme ça que les choses fonctionnent, Ellie, lui répond maman en fronçant les sourcils, pendant qu'elle lave la petite fenêtre de la salle de bains avec un linge mouillé. C'est bien trop simple. En plus, je ne sais absolument pas m'occuper d'un café. Et si je faisais une bêtise, ou que je faisais brûler l'endroit? Soyons honnêtes : je serais nulle.

C'est ce que papa lui disait tout le temps. «Tu es nulle, Karine», lui répétait-il, peu importe ce qu'elle faisait, qu'elle se coiffe ou qu'elle prépare une tasse de thé. «Complètement nulle. Tu occupes inutilement l'espace.» Elle ne faisait jamais rien de bien. Il le lui a tellement répété que je pense qu'elle le croit vraiment, maintenant.

– Bien sûr que non, tu ne seras pas nulle, insiste Ellie.

Maman secoue la tête, mais Ellie n'abandonne pas.

– Stan veut passer plus de temps avec Daphné. Tu lui rendrais service.

Un peu plus tard, nous nous assoyons à la petite table de la cuisine pour manger nos derniers sandwichs. Ils sont mous et peu appétissants. À part un petit morceau du gâteau de maman, des céréales et quelques boîtes de soupe, c'est tout ce qui nous reste à manger. Maman dit qu'elle ne veut pas de gâteau et coupe ce qui reste en deux.

– Pourquoi n'allons-nous pas voir Stan? demande Ellie. Tu pourrais en discuter avec lui.

– J'imagine qu'il va bien falloir que je le voie à un moment ou à un autre pour lui dire que nous n'avons les moyens de payer que quelques nuits supplémentaires, conclut maman. Je ferais mieux de le faire tout de suite. Mais je ne vais pas travailler dans ce café, alors arrête d'insister, s'il te plaît.

Je ne lance pas à Ellie : « Je te l'avais bien dit », parce que je sais qu'elle essaie seulement d'aider. De plus, maintenant que j'ai eu le temps d'y réfléchir, Ellie a raison, pour une fois : ce serait un travail parfait pour maman. Elle a passé des années à cuisiner et à nettoyer et à s'occuper de papa, s'assurant que tout était absolument parfait pour qu'il n'ait aucune raison de se fâcher contre elle. Évidemment, ça ne changeait rien, il se mettait quand même tout le temps en colère. Quand il n'était pas là, maman lui inventait des excuses. Elle disait par exemple qu'il travaillait trop. Même quand j'étais petite, je ne la croyais pas, en particulier quand elle affirmait que c'était sa faute à elle. Parfois, je me demandais si ce qui le fâchait n'était pas, justement, qu'elle faisait tout si bien. Il préférait de loin venir à son aide, ou la reprendre pour lui montrer qu'elle avait tort, ou tout simplement exploser de colère et s'en prendre à elle.

Plus j'y pense, plus je voudrais que maman obtienne ce travail. Je ne mange pas mon morceau de gâteau, je l'emballe plutôt dans une serviette de papier et le glisse dans ma poche en cachette. À cinq heures moins cinq, nous laissons Bruno dans la caravane, dont nous verrouillons la porte, puis nous traversons les dunes pour rejoindre le café sur la plage.

Il n'y a plus de clients, et Stan est occupé à tout nettoyer.

– Voulez-vous que je fasse chauffer de l'eau ? demande Ellie quand nous passons la porte. Je lui lance un regard d'avertissement, mais elle l'ignore.

– Fais donc comme chez toi, lui répond Stan, la fixant par-dessous ses sourcils broussailleux. Mais son sarcasme n'a pas l'effet désiré et Ellie se dirige tout droit vers la bouilloire.

Nerveusement, maman commence à expliquer que nous n'allons finalement pas rester longtemps dans la caravane.

– Donc, maintenant, vous ne voulez plus travailler ici ? demande Stan avec impatience.

– Nous... Euh... Nous ne sommes pas sûres d'avoir les moyens de...

– Donc, ça vous serait utile d'avoir un travail, n'est-ce pas ?

– Eh bien, oui, mais...

– Avez-vous déjà travaillé dans un café ?

– Non.

– Avez-vous de l'expérience en cuisine ou en entretien ménager ?

– Non.

– Des références, alors, d'un précédent employeur ?

Maman ne se donne même pas la peine de répondre. Elle fixe le sol, mal à l'aise, comme quand papa lui faisait la morale sur sa cuisine ou lui reprochait d'être un mauvais parent, contrairement à ses propres parents à lui.

Stan secoue la tête.

– J'ai assez de problèmes comme ça. Bill ne fait pas la différence entre une courgette et une baguette, mais c'est mon frère et, au moins, je peux lui faire confiance.

Ma mère a l'air gêné et commence à se lever.

– Je suis désolée, nous ferions mieux de partir...

– Mais non, le thé est prêt ! intervient Ellie en posant rapidement deux tasses devant Stan et maman.

– Buvez votre thé d'abord, grommelle Stan, et ne faites pas attention à moi. Ça n'a rien de personnel.

Maman se rassoit à contrecœur. Je sors rapidement le morceau de gâteau de la poche de mon manteau, le déballe et le pose délicatement sur une assiette propre. Il est un peu écrasé, mais je l'apporte à Stan et place l'assiette devant lui. Ellie comprend ce que je suis en train de faire et me regarde avec espoir.

– C'est maman qui a fait ce gâteau, explique Ellie à Stan. Il est à la banane et au caramel, mais elle sait cuisiner des tartes, des biscuits, toutes les sortes de pâtisseries, en fait. C'est la meilleure cuisinière du monde...

– Ellie, ne raconte pas d'histoires...

– Mais non, c'est vrai! Tu ne le sais pas, c'est tout.

Stan secoue la tête et nous regarde l'une après l'autre. Il saisit le morceau de gâteau, l'observe attentivement, puis en prend une grosse bouchée. Nous le regardons mâcher lentement, avaler, puis prendre une autre bouchée, et une autre, et une autre encore, jusqu'à ce qu'il ne reste plus une miette. Ensuite, il reste assis en silence pendant un moment.

– On ouvre à huit heures, on sert les déjeuners jusqu'à midi, puis on sert les dîners. L'après-midi, on sert du thé et des collations. On ferme à cinq heures, sauf le dimanche, où on ferme à neuf heures.

Maman hoche la tête poliment et regarde la porte, espérant pouvoir partir bientôt.

– Je vous vois à huit heures moins dix demain matin, donc.

– Vous me donnez le travail? demande maman, surprise.

– Je serais un imbécile si je ne vous engageais pas. Même Daphné n'a jamais cuisiné aussi bien que vous.

Ellie se retourne et fait un «OUI!» silencieux, et je ne peux pas retenir mon sourire.

– Je te l'avais dit! jubile-t-elle.

Stan montre la cuisine à maman et lui explique que, si elle travaille quatre jours par semaine, son salaire couvrira la location de la caravane, et qu'il lui restera de l'argent en plus.

– Mais vous devrez aussi préparer des gâteaux et des pâtisseries maison, en revanche, ajoute-t-il. Daphné faisait tout cela à l'époque. Je les achète, maintenant, mais ce n'est pas toujours très bon.

– D'accord, accepte maman, encore stupéfaite. Huit heures moins dix demain matin, donc.

CHAPITRE 13

- De quoi j'ai l'air? demande maman en défroissant nerveusement son chemisier blanc de la main.

Elle a soigneusement enroulé un foulard de soie autour de son cou, en nouant les extrémités, pour bien cacher ses ecchymoses.

- Tu es parfaite, je lui réponds, même si, honnêtement, elle a des cernes foncés sous les yeux et qu'on dirait qu'elle n'a pas dormi depuis un mois.

Pendant qu'elle va travailler au café aujourd'hui, nous allons marcher jusqu'à la ville, qui se trouve à moins d'un kilomètre d'ici. Elle nous tend le billet de cinquante dollars de Grace et une liste d'épicerie, et nous dit de chercher les prix les plus bas. Grace me fait un petit signe de tête en prenant la liste, alors je glisse le billet dans la poche de ma veste et en ferme la fermeture éclair.

- Bonne chance, je lance à maman qui s'en va. Même si tu n'en auras pas besoin du tout! j'ajoute rapidement.

Maman me fait un sourire nerveux et traverse le camping pour rejoindre le chemin de la plage.

Une demi-heure plus tard, Grace, Bruno et moi nous mettons en route. Nous suivons le chemin qui passe devant l'entrée du camping. La ville est animée, parce qu'un grand marché est installé dans le stationnement qui se trouve près du port. À l'autre bout du marché, un étal propose des boucles d'oreilles fabriquées à la main, et Grace passe une éternité à toutes les regarder. Je m'ennuie terriblement, alors je flâne dans la foule, je dépasse les autres étals et j'arrive devant l'installation d'un marchand qui vend des accessoires pour les cheveux, des peignes, des brosses et même quelques boîtes de teinture. J'en prends une et observe la photographie imprimée dessus. Elle représente une jolie fille à la chevelure vigoureuse d'un beau blond lumineux. J'ai toujours rêvé d'avoir des cheveux de cette couleur.

- Aujourd'hui, c'est seulement cinq dollars, me dit l'homme derrière l'étal.

Je jette un œil autour de moi et vois que Grace me tourne le dos, encore penchée sur les bijoux. Il y a à peu près deux mois, une femme nous a arrêtées alors que nous sortions d'un magasin de vêtements, a dit qu'elle était une recruteuse de jeunes talents pour une grande agence de mannequins et a demandé à Grace si elle avait déjà envisagé de devenir mannequin. Bien sûr, Grace n'a pas répondu, mais quand j'ai dit à la dame que je serais intéressée, elle a souri en secouant la tête et m'a répondu que je ne correspondais pas exactement à ce qu'ils recherchaient. Quel toupet!

Je regarde de nouveau la boîte. Me voyant hésiter, l'homme me fait un clin d'œil.

- Je te la fais à trois dollars, ma belle. Avec cette couleur de cheveux, tu serais splendide.

Je me dis que ça ne fera pas grand mal de dépenser seulement trois dollars. Trois dollars pour être splendide, ce n'est rien. Et tout est si peu cher, au marché, qu'il nous restera largement assez d'argent pour acheter ce que maman a indiqué sur la liste.

- OK, je lui réponds en ouvrant mon portefeuille.

Je tends le billet de cinquante dollars de Grace à l'homme, et tout à coup, je la vois qui se dirige vers moi. Je me dépêche de récupérer la monnaie, que je glisse dans une de mes poches, puis je fourre la boîte de teinture sous ma veste pour qu'elle ne la voie pas.

Je traverse de nouveau la foule pour aller la rejoindre, puis nous nous rendons à un étal de fruits et légumes. Nous prenons tout ce que maman a mis sur la liste et Grace fait mentalement le calcul de la facture au fur et à mesure.

- Ça fait vingt-six dollars et soixante-cinq, me chuchote-t-elle.

Je glisse la main dans ma poche pour payer, mais je me rends compte avec horreur que je n'ai plus que sept pièces de un dollar. Les billets de vingt dollars que l'homme m'a rendus ont disparu.

- Ils ont dû tomber, dis-je à Grace avec désespoir.

Grace me regarde, interloquée. La culpabilité me frappe, et je dois lui expliquer que j'ai dépensé trois dollars et perdu une grande partie de la monnaie. Nous devons rendre presque tout ce que nous avions mis dans notre panier, ce qui ennuie le vendeur qui nous maudit tout bas.

Nous refaisons le chemin que j'ai emprunté plus tôt pour chercher l'argent que j'ai perdu, sans succès.

Grace ne m'adresse pas la parole de tout le chemin jusqu'à la caravane, même quand un des sacs de plastique se déchire et laisse échapper les pommes de terre, qui roulent sur la route où des voitures en écrasent quelques-unes. Quand il n'y a plus d'autos, je tiens Bruno pendant qu'elle tente de récupérer le plus de pommes de terre possible.

– Je n'ai pas fait exprès de perdre tout cet argent, lui dis-je d'un air misérable, alors que nous entrons dans la caravane quelques minutes plus tard.

Elle ne me répond toujours pas et se dirige vers notre chambre.

– Je t'ai dit que j'étais désolée ! je répète en la suivant. Ce n'est pas la peine de m'ignorer, j'ajoute, maintenant fâchée de son silence. Tu vois, si tu arrêtes de me parler à moi, tu ferais mieux de te coller les lèvres l'une à l'autre, comme ça.

Et je serre les lèvres et fais une grimace, comme si j'imitais un poisson. Elle ne réagit pas.

– Et si un jour tu veux dire quelque chose et que tu les décolles, tu te rendras compte que tu ne sais plus parler. Tu ouvriras la bouche et la seule chose qui en sortira, ce sera du charabia.

Grace se retourne et me fusille de son regard bleu.

– On n'est pas dans un de tes mondes imaginaires, Ellie. On avait besoin de cet argent.

- Je le sais! Et je t'ai déjà dit que je n'ai pas fait exprès de le perdre. De toute façon, si ça t'inquiétait tellement, pourquoi ne l'as-tu pas pris avec toi, cet argent? Il était à toi!

Je savais très bien pourquoi elle ne l'avait pas pris: elle ne voulait pas avoir à parler aux vendeurs.

- Tu ne parles même pas à maman! Comment penses-tu qu'elle se sent? Elle ne le dit jamais, mais tu lui fais vraiment de la peine.

C'est un coup bas et je le sais, mais je n'arrive pas à fermer ma grande bouche. Son visage se décompose.

- Je ne le fais pas exprès, chuchote-t-elle.

- Elle ne t'a rien fait, pourtant.

Grace ne répond pas, mais elle se détourne de moi.

- Je ne te comprends pas, tu es trop bizarre!

Et je sors de la chambre d'un pas lourd.

Quelques secondes plus tard, je la vois arriver dans l'autre pièce avec son sac de toile. Elle évite mon regard et se dirige vers la porte.

- Qu'est-ce que je dis à maman au sujet de l'argent, alors?

- Raconte-lui une de tes histoires de fées, marmonne-t-elle en sortant de la caravane.

- Tu vas où?

- Nulle part.

Et elle claque la porte derrière elle. Je sais qu'elle est fâchée, mais je m'en moque. Tout est facile, pour elle. Tout le monde pense qu'elle est merveilleuse, même quand elle ne dit pas un mot. Papa me grondait tout le temps, uniquement parce que j'avais parlé. *Tais-toi donc, Ellie. Arrête ton cinéma, la Drama Queen! Pourquoi ne peux-tu pas être tranquille et silencieuse, comme ta sœur?* me disait-il d'une voix pleine de déception.

Assise à la petite table, je sors le paquet de teinture et déplie les instructions d'utilisation. Il y a bien quelques schémas, mais le texte est dans une langue que je ne reconnais pas. Je regarde de nouveau la fille sur la boîte, qui me regarde avec son sourire épanoui.

- Ça ne doit pas être bien compliqué, je lance à Bruno en me dirigeant vers la petite salle de bains avec ma serviette de toilette.

CHAPITRE 14

≫ Grâce ≪

Je me calme un peu en marchant de nouveau vers la ville. J'aimerais pouvoir tout expliquer à Ellie, mais c'est si compliqué, si embrouillé. Je ne sais ni comment ni où commencer. Je suis si différente d'elle. Pour elle, tout est soit blanc, soit noir, et si elle n'aime pas quelque chose, elle s'invente un monde imaginaire pour le remplacer.

Quand elle avait sept ans, elle a décidé qu'elle avait été abandonnée par des fées et adoptée par papa et maman. Elle a dit qu'elle s'appelait Araminta, et s'est mise à écrire de longues sagas qui racontaient sa vie antérieure, dans lesquelles elle parlait d'un magicien maléfique et d'un crapaud à la patte de bois qui s'appelait Neville (le crapaud, pas la patte). Elle noircissait un carnet après l'autre. Son enseignant disait qu'elle était pleine d'imagination. Maman adorait les ingrédients nécessaires pour les sorts (principalement de la crème anglaise verte et des huîtres) et, moi, j'avais un petit faible pour Neville, dont la seule mission dans la vie consistait à sauter de dessous sa pierre et à avancer sa patte de bois pour faire trébucher le sorcier. Celui-ci tombait alors la tête la première dans son chaudron, et Araminta échappait à la dernière potion mortelle qu'il avait préparée.

Malheureusement, tout cela laissait papa plutôt froid. Il s'est moqué impitoyablement des histoires d'Ellie, jusqu'à ce qu'elle arrête finalement d'en écrire. Elle m'a alors expliqué qu'elle n'avait plus d'idées. Mais Ellie n'aura plus d'idées le jour où il n'y aura plus d'étoiles dans le ciel. Quelques semaines plus tard, elle a définitivement tué Araminta en jetant tous ses carnets à la poubelle. Après cela, elle n'a plus jamais rien écrit, à part les rédactions pour l'école. Pendant encore au moins un an, elle a continué à dire aux gens qu'elle était adoptée.

La matinée est bien avancée, maintenant, et il y a encore plus de monde au marché que tout à l'heure. Mes mains commencent déjà à trembler alors que je choisis soigneusement mon emplacement et que je repasse la liste dans ma tête.

Rester calme.

Ouvrir mon sac.

Ouvrir l'étui à violon.

Sortir le violon.

Prendre de grandes respirations.

Jouer.

Continuer à jouer.

Je ne sais pas trop comment, mais je réussis à faire tout cela. Quelques personnes se retournent et me regardent, étonnées par la musique qui s'élève, mais je réussis à continuer à jouer. Comparé à ça, jouer un solo lors du concert de Noël, l'année dernière, c'était facile comme tout.

Je termine le morceau et baisse légèrement la tête. Personne n'applaudit et, du coin de l'œil, je vois les gens se détourner et repartir, ou continuer simplement leur chemin. Gênée et déçue, je suis en train de me demander ce que je dois faire ensuite, quand je vois une petite fille déposer une pièce de un dollar dans mon étui à violon. Je la regarde rejoindre en courant sa mère qui me sourit, je leur fais à toutes les deux un merci de la main, et je recommence à jouer – des chansons pop, des ballades folks, tout ce que je pense que les gens peuvent avoir envie d'entendre.

Je trouve enfin mon rythme, et plusieurs personnes s'arrêtent et m'écoutent. Elles jettent encore des pièces dans mon étui. Une heure plus tard, je ne vois presque plus sa doublure de velours rouge.

La magie de la musique fonctionne également sur moi. Je déteste que des gens m'observent, mais je réussis à me détendre, car mon violon agit comme un tampon entre eux et moi. Je suis bien en sécurité dans mon petit monde quand je joue, parce que personne ne peut essayer de me faire parler.

Petit à petit, je prends conscience qu'un garçon plutôt grand se tient là. Il a environ mon âge, est bronzé et ses cheveux blonds sont tout ébouriffés. Il fait froid, mais il porte pourtant des shorts de plage et un immense chandail bleu vif. Alors que je lui jette un coup d'œil, il lance une pièce de un dollar dans mon étui et me sourit. Je hoche la tête et lui fais un sourire aussi, tout comme j'ai souri à tous ceux qui m'ont donné de l'argent. Quelque chose en lui me fait perdre ma concentration.

Je joue pendant encore une demi-heure, les gens vont et viennent, mais le garçon ne bouge pas. Je suis fatiguée et je commence à avoir mal aux doigts, alors je termine le morceau que je suis en train de jouer. Les gens applaudissent, puis comprennent que j'arrête de jouer pour de bon. Tout le monde commence à se disperser... sauf ce garçon. Troublée, je me penche pour ramasser l'argent. Je le vois s'approcher du coin de l'œil.

– Tu es formidable, me dit-il. Tu as déjà pensé à jouer dans un groupe?

Je garde la tête baissée, en espérant qu'il va partir. Il reste là. Je commence à paniquer. Liste. De quoi? De n'importe quoi...

Point de croix.

Point de feston.

Point de chaînette.

– Je m'appelle Ryan, me dit-il.

Point avant.

Point zigzag.

Point de bâti.

– Est-ce que je peux t'offrir un café, ou autre chose à boire?

Il regarde mon étui à violon rempli de pièces et sourit.

– Ou peut-être que, toi, tu peux m'offrir un café...

Je n'ai plus de points à ajouter à ma liste. Mon silence ne lui fait pas peur. Il décide simplement que je ne dois pas comprendre le français.

Il mime l'action de boire quelque chose dans une tasse – il lève même le petit doigt.

– Ca-faye? S'il te playe? dit-il avec un faux accent étranger loufoque.

Je secoue la tête et me mords la lèvre pour ne pas sourire. Trop tard : il a remarqué.

– Une bonne tasse de thaaaaaye ? dit-il d'une voix comique. Du jus de marsupiaux passés au mixeur ?

Surprise, je lève la tête pour le regarder. Il sourit d'un air triomphant : il sait maintenant que je le comprends.

– Écoute, je suis vraiment inoffensif, je t'assure. Je m'appelle Ryan Baxter. Je vis juste au coin de la rue. Tout le monde me connaît... Regarde, je vais te le prouver.

Il regarde autour de lui, puis agite la main en direction d'une dame d'âge moyen qui observe les articles d'un étal tout proche. Il l'appelle :

– Bonjour, madame Williams, comment allez-vous ? Madame Williams ?

Elle s'arrête net et se retourne lentement vers lui.

– Vous avez l'air... euh... radieuse, aujourd'hui, lui fait-il avec un petit sourire.

Elle a surtout un air renfrogné et désapprobateur. Elle fonce droit sur nous à travers la foule, comme un char d'assaut qu'on ne peut arrêter. Elle prend une grande respiration et serre les dents.

– Si toi et tes amis faites de nouveau ce vacarme de tous les diables dans votre garage ce soir, je vous envoie Steven, le menace-t-elle d'un ton sinistre, avant de faire demi-tour et de s'éloigner.

Ryan me sourit d'un air penaud, puis hausse les épaules.

– C'est ma voisine, madame Williams. Une gentille dame... mais pas une grande amatrice de musique.

Je réprime un sourire.

– Et Steven – c'est son fils – soulève des haltères et aime bien la lutte.

Il me surveille du regard, mais je baisse la tête et range rapidement mon violon dans son étui.

– Non, ça va bien aller, je t'assure. Ne t'inquiète pas pour moi. C'est normal de souffrir pour sa musique, n'est-ce pas ? Enfin, c'est normal que madame Williams souffre pour ma musique, en tout cas... Mon groupe – on s'appelle les Dégâts, cool nom, hein ? – n'est de toute évidence pas son groupe préféré. On joue du RnB minimaliste avec des influences emo-screamo.

Il fait une petite pause, puis reprend :

– Donc, pour en revenir au café, il y a un resto plutôt chouette sur la plage.

Alarmée, je secoue la tête, referme d'un coup sec mon étui à violon et me remets rapidement debout. Il semble déçu.

– Mais tu ne peux pas partir comme ça. Steven pourrait bien me faire une clé au cou, quand je vais rentrer chez moi... Si ça se trouve, on ne se reverra jamais. Imagine comme tu pourrais le regretter.

J'attrape mon étui et m'éloigne rapidement.

– Dis-moi au moins comment tu t'appelles ! crie-t-il dans ma direction.

CHAPITRE 15

❧ Ellie ❧

- Pas un mot! j'ordonne à Grace quand elle met le pied dans la caravane.

Pas d'inquiétude à avoir. J'enlève lentement la serviette enroulée autour de ma tête, et elle se contente de me fixer, bouche bée.

- Bon, ça ne s'est pas passé comme je le voulais, OK?

Elle hoche lentement la tête, mais elle n'arrive toujours pas à détourner les yeux de moi. Bruno non plus. Je les ai hypnotisés tous les deux.

- Ça ne s'est pas du tout, du tout passé comme je le voulais, et je ne sais plus quoi faire! Mais arrêtez de me regarder comme ça, tous les deux! j'aboie avec colère, les larmes coulant sur mes joues.

Grace baisse les yeux sur son étui à violon. Bruno s'en va se coucher sur sa couverture.

- Je suis désolée, je ne voulais pas te crier après, et je suis vraiment désolée de tout ce que je t'ai dit plus tôt. Oh! Grace, je déteste ma grande bouche! Je voudrais pouvoir m'en débarrasser!

Avec réticence, elle me fait un petit sourire.

- Tu aurais l'air plutôt bizarre, si tu n'avais plus de bouche...

- Mais qu'est-ce que je vais faire?

Il lui faut cinq bonnes secondes pour réussir à trouver une réponse.

- Hum, j'imagine que ça ne part pas quand tu te laves les cheveux?

- Nooooon! J'ai essayé, je les ai lavés encore et encore. Ça ne fait que les emmêler de plus en plus.

Grace attrape la boîte et regarde la photo de la fille blonde pleine de charme.

- Je lui ressemble parfaitement, n'est-ce pas? je lance pour plaisanter, en enfouissant mon visage dans mes mains.

Des touffes de cheveux orange fluo pleins de nœuds me pendouillent autour du visage. Bruno vient vers moi à pas de loup et me lèche la main, mais ma tête est devenue trop étrange pour lui, maintenant. Il renifle un peu mes cheveux avec méfiance, et préfère retourner sur sa couverture.

- Ce n'est pas si terrible, fait Grace d'un air hésitant. Et puis, les cheveux de couleur vive, c'est super à la mode.

- C'est atroce! Je n'arrive même plus à les peigner, on dirait que j'ai de la feutrine sur la tête. Je ne peux pas sortir avec des tampons à récurer orange sur la tête. Je vais devoir rester dans cette caravane pendant des mois, des années... toute ma vie!

Je me jette sur la courtepointe de grand-mère étalée sur la banquette et me mets à sangloter bruyamment. Si je dois me cacher du monde dans cette minuscule caravane, combien de temps cela prendra-t-il avant que je devienne complètement folle, comme la femme de Stan?

Grace m'ignore et disparaît dans notre petite chambre. Elle en revient avec ses ciseaux de couture.

- Et si je coupais les parties les plus abîmées? Ça aura peut-être l'air moins laid. Tu veux que j'essaie?

- Tout m'est égal, maintenant!

- Tu es sûre?

- Fais-le! Rase tout, même. Ça ne pourra jamais être pire que maintenant!

Grace prend une grande respiration, me fait me redresser et commence à couper doucement mes cheveux. Elle prend son temps, réfléchis bien en donnant des petits coups de ciseaux dans les nœuds, coupant mèche après mèche. Je regarde grossir le tas fluo de cheveux emmêlés, par terre. Bruno nous observe avec curiosité, mais reste bien en sécurité sur sa couverture.

- Je voulais seulement qu'on me remarque, comme toi! Tout le monde te remarque.

- Je préférerais vraiment que ce ne soit pas le cas, me répond-elle d'une voix douce.

Quelque chose dans son ton de voix me rappelle que, pendant que j'étais en train de transformer mes cheveux en barbe à papa radioactive, elle a passé quelques heures dehors.

- Alors, où étais-tu passée ? je lui demande, curieuse.

Elle fait une grimace.

- Tu ne diras rien à maman ?

- Euh... Non.

Je suis inquiète, maintenant. Grace ne fait jamais rien de louche.

- Je jouais du violon sur la place du marché.

- C'est vrai ?

Elle hoche la tête timidement.

- J'ai gagné presque cent dollars.

- Grace ! Tu es un génie !

- Pas vraiment, mais c'est bon de savoir que tous ces cours de musique n'ont pas été de l'argent jeté par les fenêtres.

- Papa serait tellement en colère s'il l'apprenait ! je lance, sans réfléchir.

Grace se raidit. Un nuage menaçant flotte tout à coup au-dessus de nos têtes. Je lisse la courtepointe de grand-mère du bout des doigts et fais tomber quelques mèches de cheveux par terre.

- Mais... Hé ! Je parie que ça n'aurait pas embêté grand-père, je commence à jacasser. Oui, il aurait sûre-ment dit quelque chose comme : « Vas-y ma grande, t'es trop forte, cool ! » Ou d'autres expressions du même genre qu'ils utilisaient dans le bon vieux temps. Alors, est-ce que tu as fait danser des gens ?

- Ellie, tais-toi, me dit Grace avec un faible sourire.

Heureusement, le nuage noir suffocant est parti, nous avons réussi à l'éloigner.

- Est-ce que tu étais nerveuse?

Elle acquiesce.

- Oui, très nerveuse au début, mais, ensuite, j'ai eu l'impression que les gens qui me regardaient avaient disparu et je ne les remarquais plus. Sauf...

Elle arrête de parler pendant quelques instants et réfléchis à quelque chose. Ou à quelqu'un.

- Quoi?

- Rien.

- Dis-moi...

- Il n'y a rien d'autre à dire. C'était bien. Je n'ai joué que ce que j'aimais. Comme je le voulais. Je me sentais... Ça sonne vraiment stupide, mais je me sentais libre.

Elle a terminé la coupe, alors j'ouvre la porte de la petite salle de bains et me regarde, un peu anxieuse, dans le miroir.

- Qu'est-ce que tu en dis? me demande-t-elle.

- J'en dis que... je ne me ressemble plus!

Et c'est vrai. Je ne me ressemble plus du tout. Je passe les doigts dans mes cheveux courts et ébouriffés pour les faire rebiquer par endroits. Maintenant que toutes les mèches abîmées sont coupées, le reste de mes cheveux est orange abricot, d'une teinte vive, mais douce.

Cette couleur met en valeur ma peau et donne l'impression que mes yeux sont plus grands, et même plus vifs.

- J'aime bien, conclut Grace.

- C'est vrai?

- Ouais. C'est excentrique. C'est tout à fait toi.

Je regarde de nouveau. Je remarque que je suis en train de sourire. Je me suis débarrassée de la vieille Ellie terne que j'ai toujours détestée. Je suis une nouvelle fille.

- Eh bien, dis bonjour à la nouvelle moi!

Grace hausse les épaules et prononce d'une voix aux intonations snobs ridicules :

- Oh, mais bonjouuuur, *Elle*.

- *Elle*! Oh! j'adore! S'il te plaît, appelle-moi Elle, à partir de maintenant. C'est teeeeellement plus cool que « Ellie ».

Je me tourne de nouveau vers le miroir et fais semblant de rencontrer quelqu'un pour la première fois.

- Salut, ravie de te rencontrer, je m'appelle Elle.

Dans le miroir, je vois Grace lever les yeux au ciel derrière moi.

- Je plaisantais, me dit-elle.

- Mais pas moi, j'adore. Allez, Grace, s'il te plaît, appelle-moi Elle.

- Je vais oublier.

- Eh bien, pourtant, à partir d'aujourd'hui, c'est comme ça que je m'appelle. Nouvelle coupe de cheveux. Nouveau prénom. Nouvelle vie.

Je la regarde avec malice.

- Tu veux que je te coupe les cheveux, maintenant ?

CHAPITRE 16

⫸ Grâce ⫷

Nous passons la laisse à Bruno, puis nous repartons en ville pour finir les courses. J'entraîne Ellie loin du marché, vers la rue principale. Elle sautille sur le trottoir et n'arrête pas de se contempler dans les vitrines des magasins. Plusieurs garçons de notre âge, groupés près de l'arrêt de bus, nous regardent passer et nous font bonjour de la main. Un gars s'avance vers nous, plutôt mignon, avec de beaux cheveux foncés et un petit sourire de travers.

– Salut, les filles, moi, c'est JP. On ne vous a jamais vues dans le coin, vous venez d'arriver ? Allez, venez, on vous emmène boire un café ! propose-t-il, d'un ton un peu trop confiant.

Le grand sourire d'Ellie me montre qu'elle est flattée qu'on l'ait remarquée, mais je lui tire sur la manche et lui fais un petit signe de tête pour lui rappeler que nous devons y aller.

– Non, merci, on n'a pas le temps, lui répond Ellie. Peut-être un autre jour...

Nous entrons dans un petit supermarché, coincé entre une boutique de chaussures et une autre de cadeaux, et Ellie annonce impulsivement :

– On va faire un festin. Un repas ultra-copieux, plein de gras et de calories !

– Ellie, on doit économiser notre argent, je lui rappelle, tandis qu'elle jette dans notre panier des pizzas bien trop chères, un énorme pot de crème glacée de luxe et une grosse boîte de chocolats, sans que je réussisse à l'arrêter. Regarde, j'ai la liste de tout ce dont nous avons besoin.

– Pff, la vie est bien trop courte pour faire des listes! me rétorque-t-elle. Je ne comprends pas pourquoi tu es tellement obsédée par tes listes.

– Je ne suis pas obsédée.

– Ça, c'est le plus grand mensonge du siècle. Je parie que tu as même des listes de toutes tes listes!

– Très drôle.

– Et une liste de tes listes de listes. Et une...

– Tais-toi, Ellie!

– Mais j'ai raison, n'est-ce pas?

– Non. Tu es juste vraiment agaçante. Faire une liste permet de garder le contrôle, OK?

– Voilà que tu sonnes exactement comme papa.

– Non, pas du tout!

– Eh bien, pour une fois, j'ai envie de perdre complètement le contrôle, me répond-elle. Allez, Grace, me supplie-t-elle. Laisse-toi un peu aller. Les chocolats sont pour maman. Sauf les caramels, puisqu'elle ne les mange jamais.

– Donc, seulement la moitié de la boîte est pour maman.

– Eh bien, je suis sûre que ça ne l'ennuiera pas qu'on en mange aussi.

– Probablement pas.

– Qu'est-ce qu'il y a ? demande Ellie.

– Rien.

– Tu n'arrêtes pas de regarder autour de toi... Tu cherches les gars de tout à l'heure ?

– Bien sûr que non !

– Il avait l'air vraiment sympa, ce JP, non ? Et il était mignon...

– Allez, on achète ce qui nous manque et on s'en va.

Je me sens rougir, alors je me retourne pour qu'Ellie ne puisse plus me voir, parce que je pensais effectivement à un garçon, mais pas à un de ceux de l'arrêt de bus. Je pensais à Ryan. Et ça m'ennuie, parce que, pour je ne sais quelle raison stupide, je n'arrive pas à me le sortir de la tête. Je ne veux pas de chum. Danny Kendall, mon voisin d'à côté, à la maison, me demandait de sortir avec lui chaque semaine. D'autres garçons, à l'école, essayaient parfois, mais ils abandonnaient assez vite, parce que je ne leur disais jamais un seul mot.

Ce garçon, Ryan... OK, il était drôle et je l'aimais bien, même, mais je ne pourrais jamais lui parler. Tous ceux qui rencontrent papa pensent qu'il est drôle et l'aiment bien, lui aussi.

On ne peut faire confiance à personne. Les gens ne sont jamais vraiment comme ils le prétendent. Et certaines personnes sont malignes : elles peuvent passer de gentilles à mauvaises en un battement de cil ou en un coup de poing, avant qu'on ait pu dire qu'on est désolé ou qu'on ait eu le temps de s'ôter de leur chemin.

Nous finissons nos courses, puis nous détachons Bruno qui nous a attendues sagement devant le supermarché. En repartant vers le camping, on ne rencontre ni les garçons de l'arrêt de bus ni Ryan, mais nous passons devant un groupe d'adolescents qui traînent ensemble, en riant et plaisantant, et je remarque les coups d'œil envieux qu'Ellie leur lance. Je sais qu'elle adorerait être avec eux, à rigoler et à s'amuser, parce qu'elle ne se rend pas encore compte qu'il vaut mieux ne se mêler à personne, au cas où.

De retour à la caravane, Ellie insiste pour glisser les pizzas au four et mettre la table pour faire une surprise à maman. Il est cinq heures et quelque quand, sans Bruno, nous partons la rejoindre au café.

— Qu'est-ce qu'elle va dire pour mes cheveux ? demande Ellie anxieusement.

Nous jetons un coup d'œil par la fenêtre du café, et nous voyons maman en train de débarrasser une des tables. Il n'y a plus de clients et le panneau sur la porte indique « Fermé ». Nous entrons, et quand elle voit Ellie, derrière moi, elle sursaute et en lâche presque le plateau qu'elle tient.

— Oh ! bon sang, Ellie ! Qu'as-tu fait ?

— Est-ce que tu trouves ça laid ?

— Eh bien, non, mais c'est tout un choc. Ça te change complètement !

— Mais c'est exactement ce que je veux.

— Tu aurais dû me le demander d'abord, ma chouette. Tu n'avais jamais utilisé de teinture pour cheveux avant. Tu aurais pu faire une réaction allergique. Grace, pourquoi ne l'as-tu pas empêchée de faire ça ?

« Qui peut empêcher Ellie de faire quoi que ce soit ? » ai-je envie de répliquer. Ce serait plus facile d'arrêter un camion poids lourd avec une plume. Comme d'habitude, je n'arrive pas à lui répondre, même pour lui dire que ce n'est pas ma faute.

– Oh, Grace ! soupire maman en me lançant un regard désespéré. Et je sais qu'elle est aussi déçue de moi qu'elle est fâchée contre Ellie.

– Grace n'était pas là... Enfin, je veux dire qu'elle ne savait pas ce que j'étais en train de faire, parce que... je... euh, je m'étais enfermée dans la salle de bains, avoue Ellie.

– Alors qui t'a coupé les cheveux.

– Elle, mais c'était après la teinture. Et c'est moi qui le lui ai demandé.

Maman secoue la tête.

– Franchement, les filles ! Heureusement que votre père...

Elle s'arrête et se mord la lèvre, mais nous savons toutes ce qu'elle s'apprêtait à dire.

– Comment ça s'est passé aujourd'hui ? demande Ellie en changeant rapidement de sujet.

– Très bien.

– Où est Stan ?

– Il a dû rentrer chez lui de bonne heure. Daphné n'est pas en forme. J'étais toute seule cet après-midi.

J'observe un peu la pièce, et je vois un vase plein de fleurs jaune vif sur chaque table. Et il n'y a pas que les fleurs – tout a l'air plus propre, plus frais.

Maman aussi a l'air différente. Plus droite... plus grande, presque, alors que, même dans l'imaginaire hyperactif d'Ellie, c'est évidemment impossible.

– J'ai dû courir toute la journée, nous raconte-t-elle, un immense sourire étalé sur le visage, mais ça faisait une éternité que je ne m'étais pas autant amusée.

Après avoir terminé de tout ranger, maman verrouille la porte et nous repartons vers la caravane sans nous presser. Juste avant d'arriver, maman renifle l'air, intriguée.

– J'espère que vous n'avez pas laissé la cuisinière allumée, dit-elle, ça sent le brûlé.

– Oh non! Les pizzas! crie Ellie.

Nous nous précipitons à l'intérieur et maman éteint le four, mais c'est trop tard: il ne reste que trois disques noirs carbonisés.

– On voulait te faire une belle surprise! gémit Ellie.

– Eh bien, pour une surprise, c'est une surprise, reprend maman avec un petit rire nerveux. Et elle est plutôt bonne, puisque la caravane n'a pas pris feu.

Une fois de plus, elle m'épate. À la maison, un incident de ce genre aurait été une vraie catastrophe, quelque chose de terrible dont il aurait fallu effacer toute trace avant que papa le voie. Maintenant, ce ne sont que quelques pizzas brûlées, rien de bien grave.

Je regarde par terre, et je vois Bruno allongé sur sa couverture. À côté de lui se trouve le pot de crème glacée, vide. Bruno est en train de se lécher la fourrure pour attraper les dernières gouttes de crème glacée au caramel, extrêmement content de lui. J'ai laissé Ellie ranger le pot dans le petit compartiment du congélateur. Elle était tellement occupée à préparer les pizzas qu'elle a dû oublier, et je n'ai rien remarqué non plus.

– On voulait te gâter, marmonne Ellie, et maintenant, tout est fichu.

J'attrape la boîte de chocolats posée par terre et je la leur tends. Un coin de la boîte est humide et déchiré, parce que Bruno l'a mâchonné, mais le reste de la boîte est intact.

Ellie l'ouvre et la présente à maman, qui sourit et choisit un chocolat.

– Tu en as choisi un au caramel! lance Ellie, surprise.

– Délicieux... Merci, répond-elle.

Je me souviens alors que les chocolats au caramel sont les préférés de papa...

Nous préparons le souper ensemble, et maman nous annonce une nouvelle surprenante.

– Lundi, nous irons en ville voir s'il reste des places à l'école et vous y inscrire.

– Nous allons aller à l'école ici? demande Ellie, sous le choc.

– Si nous restons ici, oui.

– On va rester, n'est-ce pas? demande Ellie nerveusement en se touchant les cheveux. On ne rentre pas à la maison?

Cette affreuse impression de nausée réapparaît dans mon estomac.

– Voulez-vous rentrer à la maison ? demande maman d'une voix hésitante et tremblotante.

– Non ! jette Ellie.

– Et toi, Grace ?

Je secoue la tête.

– Donc, on reste ici. Mais vous devez aller à l'école. De plus, je serai au travail pendant la moitié de la semaine. Et qui sait ce que tu es encore capable de faire, Ellie, si je ne suis pas là.

Mon cœur chavire. Je ne veux pas rentrer, sauf qu'à part à la maison, l'école est le dernier endroit où j'ai envie d'aller.

CHAPITRE 17

❧ Ellie ☙

- Tout va bien aller, dis-je à Grace en me forçant à parler d'une voix assurée. Et comme papa n'est pas là, on n'a plus besoin de s'inquiéter pour maman. Elle est en sécurité.

Hier, l'idée d'aller à l'école, de vivre cette nouvelle aventure, me plaisait bien, mais maintenant, le jour venu, je suis pétrifiée. Et si personne ne me parle et que je passe la journée toute seule? Ce serait vraiment atroce. J'aurais l'air d'une pauvre minable. Pour Grace, ce ne sera pas un problème, elle va garder la tête baissée et ne pas vouloir qu'on lui parle. Moi, j'en avais assez de ne pas avoir d'amis dans mon autre école. C'était affreux, je détestais ça.

Nous suivons le chemin qui passe devant les pierres, car c'est un raccourci pour aller à l'école secondaire, où nous nous sommes inscrites hier matin. Nous portons nos uniformes d'occasion, achetés en ville la veille, dans une friperie. Nous étions en train de choisir des jupes grises, des chemisiers rayés vert et blanc, des cravates et des chandails vert foncé, quand maman a dit gaiement:

- C'est idiot d'en acheter des neufs, personne ne va rien remarquer.

Je n'ai rien dit, mais Grace et moi savions bien qu'elle n'avait pas assez d'argent pour acheter des uniformes neufs. De toute façon, Grace aurait l'air superbe même si elle était vêtue d'un sac-poubelle, et, avec un peu de chance, ma nouvelle coupe et ma drôle de couleur de cheveux vont peut-être détourner l'attention des gens, et ils ne verront pas que je porte un chandail d'occasion.

Juste avant de sortir de la boutique, Grace a repéré un magnifique haut fleuri et m'a demandé de persuader maman de l'essayer. D'habitude, elle ne porte jamais de couleurs vives, mais elle était vraiment très jolie dedans, alors j'ai insisté pour qu'elle l'achète. Elle l'a même porté pour rentrer à la maison, en gloussant parce qu'elle disait qu'elle avait l'impression d'être une nouvelle femme. Elle l'est, d'ailleurs. Elle rit et sourit tellement, maintenant.

Nous traversons le cercle de pierres, et je m'arrête devant la plus grande et pose les paumes de mes mains dessus pour qu'elle me porte chance. La roche est froide et rugueuse et elle vacille très légèrement quand je m'y appuie.

- Tu penses que c'est vrai, qu'elles ont déjà été des jeunes filles? je demande à Grace.

- Ne dis pas de bêtises.

- Imagine, tu es en train de danser là, sur l'herbe, avec tes amies, tu ne te soucies de rien, tu vois un immense éclair illuminer le ciel et, soudain, tu ne peux plus bouger, plus parler, plus rien faire!

Je ferme les yeux et m'imagine transformée en pierre. L'expérience n'est pas très concluante, parce qu'au bout de quelques secondes le col de ma chemise me démange le cou et je me mets à me gratter comme une folle.

- Ce n'est qu'une histoire, Ellie. Ça sert à effrayer les gens.

- C'est effrayant! Tout cet endroit est effrayant. As-tu remarqué à quel point c'est toujours calme?

Je balaie du regard le cercle de pierres.

- On n'entend que les Jeunes Filles respirer doucement...

- Tais-toi, Ellie!

Je fixe Grace comme un zombie.

- Elle! Je m'appelle Elle! fais-je d'une voix lugubre, mais Grace n'est pas impressionnée.

- Génial, on va être en retard pour notre premier jour... Elle, me dit-elle en s'éloignant.

- Attends-moi! lui dis-je en frissonnant.

Je me dépêche de la rejoindre.

Nous arrivons à l'école au moment où la cloche sonne. Des enfants passent devant nous en troupeaux. Ni l'une ni l'autre ne savons où aller, alors nous suivons les panneaux qui indiquent le chemin de la réception, où la femme derrière la vitre nous donne nos emplois du temps et nous envoie dans différentes directions.

- Bonne chance! dis-je à Grace.

Elle hoche la tête.

- À toi aussi.

- Tu devrais peut-être essayer de parler à des gens, ici, lui dis-je, pleine d'espoir. Ça pourrait être une bonne chose.

Grace fait la grimace.

- Peut-être.

- Les choses sont différentes, maintenant, c'est un nouveau départ.

Elle hausse les épaules et je la laisse, avançant dans le couloir bondé jusqu'à ce que je trouve ma classe. La salle est bruyante et encombrée. Alors que je reste dans le cadre de la porte, gênée, une jolie fille aux longs cheveux bruns relevés en mèches souples sur sa tête passe devant moi.

- Tu es nouvelle? me demande-t-elle.

Je fais signe que oui et lui lance un sourire. Je prie pour qu'elle le trouve amical, et pas complètement désespéré.

- Je m'appelle Catherine, m'annonce-t-elle. J'aime tes cheveux.

- Merci, j'aime les tiens aussi.

- Ah non! Ma coiffure était censée être sophistiquée, mais je sens bien qu'elle est plutôt «Muppet»...

Nous échangeons un petit rire complice.

- Les Muppets sont cool, lui dis-je.

- C'est vrai qu'ils ont des sourcils géniaux...

- Ouais, tout frisés, comme des grosses chenilles poilues.

- Je n'ai pas mis les miens, aujourd'hui, me chuchote-t-elle d'un air théâtral.

- Moi oui! Ne le dis à personne, mais ils viennent de me ramper derrière les oreilles.

Nous rigolons de nouveau et je comprends que je viens de rencontrer l'amie dont j'ai toujours rêvé. Un lien s'est créé instantanément entre nous. Nous sommes exactement sur la même longueur d'onde.

Je balaie la salle du regard et vois que d'autres élèves nous regardent.

- Je m'appelle Elle, dis-je à Catherine en espérant que ça passe.

Je la suis et nous allons rejoindre une autre élève, Abi. Nous nous assoyons ensemble quand trois autres filles arrivent.

- Abi est ma meilleure amie, m'explique Catherine. Et voici Rose, Stéphanie et Florence, ajoute-t-elle. Les filles, je vous présente Elle.

Elles me disent toutes bonjour.

- Tu viens d'emménager ici? demande Abi.

- Oui, il y a quelques jours.

- Où habitais-tu avant?

- À Québec.

- Cool. Ma cousine y vit, dit Stéphanie. Elle a un super bon travail, elle gagne vraiment bien sa vie.

- Et tu habites où, maintenant? me demande Florence.

- Oh, euh... pour le moment, dans un logement temporaire, dis-je aux filles qui me regardent toutes avec un air interrogateur.

Je n'ai pas envie de leur avouer qu'on vit dans un camping parce qu'on a fui papa. Avant de pouvoir me contrôler, j'ajoute:

- Enfin, jusqu'à ce qu'on emménage dans notre nouvelle maison.

- C'est l'une des maisons qu'ils sont en train de construire sur la colline? s'informe Rose.

- Hmm... Oui, c'est ça.

Je hoche la tête tranquillement. Je ne sais pas du tout de quoi elle parle, mais j'espère qu'on va changer de sujet.

- Waouh! Elles sont incroyables, l'une d'elles a une piscine intérieure, lance Catherine en riant. Au secours, je suis verte de jalousie!

Vous pouviez me faire confiance pour choisir les maisons probablement les plus chères de la région, me dis-je en me donnant mentalement une tape sur le front.

- Alors, est-ce que c'est celle-là, ou celle d'à côté, avec le terrain de tennis? me questionne Abi.

Je me retape le front mentalement, mais je continue à sourire. Piscine ou terrain de tennis? C'est tout décidé : plouf, gloup, gloup. Je n'ai déjà plus pied, je suis en train de me noyer.

- Celle avec la piscine.

- Super ! fait Catherine, tout excitée. Hé, quand tu auras emménagé, tu vas faire une grosse fête autour de la piscine, hein ?

- Bien sûr.

Mon cœur est en train de sombrer comme une pierre dans ma luxueuse piscine inventée.

- Hé, tout le monde, voici Elle, annonce Catherine au reste de la classe, et nous sommes tous invités à sa fête.

La plupart des élèves se tournent vers moi pour me regarder et quelques garçons m'acclament.

- Cath, la corrige Abi, elle n'a même pas encore emménagé !

- Ouais, et ses parents ? Ils ne vont peut-être pas être d'accord, ajoute Stéphanie.

- Je suis sûre qu'ils seront d'accord, n'est-ce pas ? plaide Catherine.

Je hausse les épaules. Il est clair que mes parents imaginaires ne diraient absolument pas non.

- Eh bien, ils sont plutôt cool, en général, dis-je.

- J'aimerais bien que les miens le soient ! se plaint Stéphanie en levant les yeux. Ils sont toujours sur mon dos à me donner des ordres. « Range ta chambre », « fais tes devoirs », « vide le lave-vaisselle ». Ça n'arrête jamais.

- C'est parce qu'ils sont tous les deux profs, dit Rose en riant. C'est dans leurs gènes d'embêter les autres.

- On pourrait choisir un thème, par exemple les sirènes et... je ne sais pas, les poissons, par exemple. Demande à ton père s'il est d'accord ce soir, pour qu'on puisse commencer à planifier.

- Euh, je ne peux pas, je réponds en faisant une grimace. Il n'est pas là en ce moment.

- Pourquoi donc?

Je réfléchis à toute vitesse. Qu'est-ce que je peux leur dire? Je n'ai jamais raconté à personne ce qui se passait à la maison et je ne vais pas commencer maintenant. Je jette un coup d'œil dans la pièce et je remarque une carte du monde accrochée au mur.

- Il est... à l'étranger.

Quel est l'endroit le plus loin où je peux l'envoyer? En Mongolie? Dans l'Antarctique? Sur la Lune? Bon sang, arrange-toi pour que ce soit convaincant, Ellie.

- Il est en Europe.

- Ah bon?

- Oui, ça fait quelques mois qu'il travaille là-bas, dis-je en rentrant dans mon monde imaginaire. Il me manque beaucoup.

Je hausse tristement les épaules pour ajouter de l'effet, bien que mes pensées tourbillonnent. Et qu'est-ce qu'il fait, en Europe? J'ai une vision de papa vêtu de la veste rouge et de l'immense coiffe en fourrure d'ours de la Garde royale devant le palais de Buckingham, à Londres. Je l'écarte immédiatement, et je me souviens de sa remarque: *Arrête ton cinéma, la Drama Queen!*

- Il est acteur, dis-je impulsivement.

Catherine ouvre la bouche.

- Acteur, waouh. C'est génial. Il est connu?

C'est trop tard, maintenant. Je ne dois pas me contre-dire, et je ne peux pas leur dire que je viens de tout inventer pour les impressionner, sinon elles seront furieuses contre moi. Je dois m'en tenir à mon histoire. Tout doit rester crédible.

- Non, mais j'imagine qu'il le sera un jour. Il joue dans un film. Ils aimaient son accent. Son agent lui a dit que, même si ce n'était pas un rôle principal, c'était un rôle très intéressant et qu'il ne devrait pas le refuser.

Catherine, Abi et les autres filles me regardent comme si je semais des paillettes d'or partout autour de moi. Quelque chose a changé, un détail, mais un détail impor-tant. Tout à coup, je ne suis plus seulement une nouvelle, je suis une fille spéciale qui mérite qu'on la connaisse.

Le professeur entre rapidement dans la classe et demande à tous de s'asseoir. Pendant que tout le monde cherche une place, Catherine et Abi veulent toutes les deux s'installer à côté de moi. Au final, je m'assois entre les deux et nous décidons, en chuchotant, de nous asseoir ensemble dans tous les cours que nous avons en commun, et de nous retrouver pendant les récréations et à la pause du dîner. J'écoute à peine le bourdonnement du prof. Je suis aux anges.

Dans ma dernière école, à cause de papa, je n'avais pas vraiment d'amis. Je disais des mensonges pour nous protéger, inventais des excuses et avais fini par m'habituer à être la fille inintéressante et effacée, celle qui se confondait toujours avec le paysage. Et maintenant, c'est vraiment étrange, parce que, grâce à papa et quelques bobards de plus, j'ai soudain l'occasion d'être la fille cool, pleine de charme, avec qui tout le monde veut être ami. Vous savez quoi? C'est super agréable.

CHAPITRE 18

☙ Grâce ❧

Je me lance dans un dédale de couloirs et me perds rapidement. Je finis par trouver ma classe – une demi-heure plus tard, alors que le premier cours est déjà presque fini – et je regarde par la porte vitrée. Je vois une petite dame d'âge moyen, vêtue d'un tailleur-pantalon beige, marchant sans bruit entre les rangées de pupitres, parlant à la classe d'une voix basse et incisive. Contrairement à la classe d'à côté, où on entend à peine la voix du professeur à cause du chahut, personne n'ose seulement chuchoter dans celle-ci. J'ouvre la porte, me glisse à l'arrière de la classe et m'assois, en espérant qu'on ne me remarque pas.

– Ah, tu dois être Grace Smith, annonce la prof immédiatement, et toute la classe se retourne et me fixe.

Avant de baisser rapidement les yeux au sol, j'aperçois, parmi la masse de visages flous, deux personnes qui me sont familières : Ryan et JP, le garçon du bus.

La tête baissée, j'acquiesce.

– Pardon ? Je n'ai pas bien compris ce que tu viens de dire.

J'entends l'agacement dans sa voix, maintenant. Je gigote sur ma chaise, je voudrais répondre, mais les mots refusent de sortir.

– Eh bien, Grace, gronde-t-elle, impatiente.

Je lève la tête et nous nous fixons du regard. Ses yeux sont gris acier et séparés par deux rides profondes, sur son front.

– C'est ta première journée et tu es en retard. Ça ne commence pas très bien, n'est-ce pas? me fait-elle doucement.

Je continue à la regarder dans les yeux, mais je remarque que, derrière elle, JP est en train de l'imiter.

– Je suis mademoiselle Tardif. J'enseigne l'histoire. Je suis la responsable des élèves de troisième secondaire, responsable de la discipline et aussi ta professeure principale. Ce qui veut dire que, si tu éprouves des problèmes ou des difficultés, tu viens me voir. C'est compris? Mon bureau se trouve deux portes après celui du directeur.

Elle fait une pause.

– Oui, mademoiselle Tardif! aboie-t-elle, le regard furieux.

J'ai la bouche sèche et cette affreuse sensation de nausée revient me tordre le ventre.

– Oui, mademoiselle Tardif, répète-t-elle lentement, comme si j'étais stupide.

Autour de moi règne un silence de mort, percé seulement par les regards incrédules que les élèves se lancent. JP sourit comme le chat dans *Alice au pays des merveilles*. J'essaie de nouveau de parler, mais mes lèvres ne se desserrent pas.

– Bon, je ne sais pas trop ce que tu te permettais de faire dans ton autre école, ma petite, me dit-elle en jetant un œil à des papiers posés sur son bureau, mais, ici, on répond poliment aux professeurs quand ils vous parlent.

Je fixe mademoiselle Tardif. Ma nausée augmente. Tout le monde nous observe, surveillant mon visage et celui de l'enseignante pour voir laquelle va cligner des yeux la première.

– Elle est peut-être simplement timide, mademoiselle, fait une voix.

C'est Ryan.

– Baxter, quand j'aurai besoin de ton avis, je te ferai signe.

– Mais, mademoiselle, c'est son premier jour...

– Exactement. Et Grace Smith n'est pas la première à arriver dans cette école en pensant qu'elle pourra faire ce qu'elle voudra. Je veux donc qu'elle sache dès le début que ma devise, c'est « pas de tolérance. » Quelle est ma devise, Jacob ?

– Pas de tolérance, mademoiselle Tardif, répète JP.

– Et ce que je tolère le moins, c'est l'impolitesse. D'ailleurs, Jacob, tu iras en retenue. Je n'aime pas beaucoup qu'on se moque de moi.

Le sourire de JP s'évanouit.

– Mais j'ai rien fait !

– « Je n'ai rien fait. » Tu étudieras un peu de grammaire pendant ta retenue.

Mademoiselle Tardif se tourne encore vers moi et me regarde de nouveau. Je l'impression que je vais vomir d'une seconde à l'autre.

– Alors, mademoiselle Smith, qu'est-ce que je vais faire de toi ?

Je respire profondément en fixant son visage de marbre. Je voudrais tellement pouvoir lui expliquer que je ne suis pas impolie, que je n'arrive juste pas à parler. Elle prend mon silence comme un défi.

Quelques secondes interminables passent, et je suis sauvée par la cloche. Tout le monde se lève pour se rendre au prochain cours, et je les suis rapidement.

– Je t'ai à l'œil, ma petite, lance mademoiselle Tardif derrière moi. Surtout, n'oublie pas ça.

Ryan m'attend devant la classe.

– T'es encore vivante ? me demande-t-il.

Je le regarde, reconnaissante qu'il ait pris ma défense.

– Même le directeur a peur d'elle. On dit qu'elle mange un petit élève de première secondaire chaque midi et qu'elle recrache les os dans un seau, sous son bureau.

Je ne peux m'empêcher de sourire à cette idée atroce pendant que je sors mon horaire de cours. Ryan y jette un coup d'œil.

– Maths avec monsieur Harvey, comme moi. Viens.

Je le suis dans le couloir.

– Ce cher Harvey-à-poils-longs n'est pas bien méchant. Sauf à la pleine lune, bien sûr...

CHAPITRE 19

Grace et moi avons recommencé l'école depuis un peu plus d'une semaine et je ne sais pas trop ce que Grace en pense parce qu'elle n'en a pas beaucoup parlé, mais, moi, j'adore. J'ai des amies! De vraies, adorables, drôles, brillantes et merveilleuses amies! C'est toujours Cath que je préfère, elle est tellement cool. Elle me rappelle un peu Laura, de mon autre école, sauf que Cath est vraiment plus jolie, et bien plus le fun. Tout le monde veut être ami avec elle, mais depuis que je suis là, on s'entend super bien. On est meilleures amies, maintenant - avec Abi et Rose, bien sûr. On passe tout notre temps ensemble et on rigole en classe, on partage nos secrets - enfin, leurs secrets, pas les miens. Le plus cool, c'est que Cath m'a invitée chez elle samedi. J'ai tellement hâte!

Pendant la pause du dîner aujourd'hui, je m'assois comme d'habitude avec elles sur un banc dans la cour, et on regarde les garçons. Je ne leur dis pas que les garçons ne m'intéressent pas, à part le super beau JP, peut-être. La plupart des gars de mon ancienne école étaient juste des niaiseux boutonneux ou carrément des espèces d'animaux bizarres, mais Abi dit que certains garçons de troisième secondaire, ici, ne sont pas mal, surtout un en particulier. Je suis sûre qu'elle parle de JP: il est vraiment populaire, mais quand il te sourit, tu as l'impression d'être la seule personne qui compte sur terre.

- Tais-toi, Abi ! lance Cath avec un sourire radieux en la poussant un peu.

- Il est vraiment mignon, fait Abi. Toutes les filles ont le béguin pour lui, pas seulement Cath...

- Abi, je n'ai pas le béguin pour lui !

C'est vrai, elle est folle d'un garçon qui s'appelle Ryan.

- Ouais, mais lui aussi, il t'aime bien, dit Rose, pour mettre son grain de sel. Daisy Millaire dit qu'il veut te demander de sortir avec lui.

- N'importe quoi ! répond Cath avec un grand sourire.

- Mais oui, si je te le dis ! insiste Rose.

Je suis sur le point d'ajouter que, moi aussi, je trouve que JP est super mignon, quand Cath se retourne d'un coup et fait une grimace caricaturale.

- Oh non ! fait-elle, ses yeux s'agrandissant. Il est là-bas. Ne regardez pas ! Ne regardez pas ! Près du gros arbre !

Je regarde vers l'arbre et remarque immédiatement Grace, avec un grand garçon blond. Le fameux Ryan.

- C'est qui, elle ? demande Cath, qui ne sourit plus.

Stupéfaite, je ne réponds pas.

- C'est une nouvelle, dit Rose. Daisy m'a dit qu'elle ne parlait à personne. J'ai vu JP essayer de discuter avec elle, hier, mais on aurait dit qu'elle ne le voyait même pas.

Gênée, je me dandine d'un pied sur l'autre. Je devrais peut-être dire quelque chose pour défendre Grace, mais je suis fâchée contre elle. Elle ne pourrait pas simplement être normale, bon sang?

- Elle ferait mieux de ne pas toucher à Ryan, il est pris, rigole Abi.

Grace et le garçon disparaissent derrière un bâtiment.

- Venez, on va les espionner, lance Abi en se levant.

Complètement torturée, je regarde Cath.

- Ne sois pas aussi minable, dit-elle, et je pousse un soupir de soulagement. De toute façon, je veux aller aux auditions pour la pièce de théâtre. Tu viens, Elle?

- Ouais, OK, dis-je en essayant d'avoir l'air décontractée, mais souhaitant à tout prix partir d'ici.

- On va jouer *Princesse Caraboo*, explique Abi pendant que nous marchons ensemble vers l'amphithéâtre. C'est madame Nicol qui a écrit la pièce.

- Elle a complètement copié le film, ajoute Rose d'un ton dédaigneux.

- Mais pas du tout! proteste Cath. C'est une histoire vraie. Ça parle d'une superbe et mystérieuse fille qu'on voit un jour marcher sans but dans les rues d'un village, en Angleterre, et qui est accueillie dans un riche manoir. Elle ne parle pas anglais et elle persuade tout le monde qu'elle est une princesse étrangère. En fait, elle n'est qu'une domestique affamée et sans argent appelée Mary Baker.

- C'est Cath qui va jouer la princesse Caraboo.

- Sauf que je n'ai pas encore le rôle, Abi.

- Mais voyons, comme si cette chère Nicol la Folle ne pensait pas que, partout où tu passes, des lys poussent dans tes traces de pas. Je te parie tout ce que tu veux que ton nom sera le premier de la distribution, lundi prochain.

Abi se tourne vers moi et ajoute :

- L'an dernier, elle a joué Annie dans notre comédie musicale. On a parlé d'elle dans le journal, et tout...

Juste avant d'arriver dans l'amphithéâtre, nous passons devant JP qui est en train de discuter avec ses amis, adossé au mur du couloir.

- Hé, Catherine, tu viens au party de Ben, samedi soir ? demande-t-il avec son fameux sourire.

- Qu'est-ce que ça peut bien te faire ? lui rétorque Cath, d'un ton léger.

- Eh bien, si tu te décidais à passer des vêtements un peu plus convenables que d'habitude, pour que tu n'aies pas l'air de participer à un spectacle du Cirque du Soleil, je pourrais peut-être t'y emmener.

Je le regarde, surprise. Ses amis se mettent à rire et, pendant une seconde, Cath semble troublée et devient toute rouge. JP attire mon attention et me fait un clin d'œil. Du coup, je me trouble aussi.

- Tu pourrais la payer qu'elle n'irait pas avec toi, ricane Abi en prenant Cath par le bras et en la tirant jusqu'à la porte de l'amphithéâtre. Elle y va avec Ryan Baxter.

– Elle va le payer, alors? crie JP derrière nous, ce qui fait de nouveau rire ses amis.

– Tu as vraiment du culot! déclare Abi.

– Ne vous occupez pas de lui, ajoute Rose.

– Pas de risque que je m'occupe de lui, jamais! réplique Cath avec un mouvement brusque de la tête.

J'essaie de comprendre ce qui se passe dans la tête de JP tandis que nous avançons vers la scène, où Nicol la Folle en personne nous accueille. Je comprends alors d'où vient son surnom. Mais qu'est-ce qu'ils ont, les profs de théâtre? Pourquoi est-ce qu'ils ont toujours l'air de suivre le style vestimentaire de l'établissement haute sécurité dont ils viennent de s'échapper? Elle porte une salopette violette dont les jambes sont rentrées dans des bottes rouges, par-dessus un t-shirt vert lime à manches longues. L'ensemble est mis en valeur par un rouge à lèvres écarlate et des tonnes de khôl noir autour des yeux.

– Vous arrivez pile à l'heure, les filles, nous dit-elle en nous dirigeant vers un groupe de filles qui attendent dans les coulisses, près de la scène.

– Avant de m'attaquer à tous les autres rôles, je voudrais m'occuper de celui de notre chère princesse. Et qui est cette demoiselle? demande-t-elle en me regardant.

– Je m'appelle Elle Smith, madame, dis-je.

– Son père est acteur de cinéma en Europe, explique Cath.

- Ah bon? Eh bien, ça te fait un peu de compétition, alors, répond madame Nicol pour plaisanter, avant que j'aie pu expliquer que je n'avais pas l'intention de passer les auditions.

- Il faut que tu essaies, Elle, me dit Rose. N'est-ce pas, Cath, qu'elle doit essayer?

- Bien sûr, répond Cath avec générosité.

Nous lisons chacune notre tour un des monologues de la princesse Caraboo. Certaines des filles, dont Rose, ne savent absolument pas comment faire passer la moindre intensité dans leurs mots. Elles pourraient tout aussi bien être en train de lire les horaires de bus ou l'annuaire téléphonique. Par contre, Cath, elle, est incroyable et Nicol la Folle la regarde d'un air radieux quand elle a terminé.

- Merveilleux, Catherine! Bravo, déclare-t-elle en serrant ses lèvres rouges l'une contre l'autre et en gribouillant quelque chose sur son bloc-notes.

Abi me fait un petit signe de tête et ses lèvres prononcent silencieusement le mot « voilà! ».

Bientôt, il ne reste plus qu'Abi et moi. Abi n'a pas le talent d'actrice dans le sang et elle le sait. Elle attrape un fou rire incontrôlable dès la deuxième ligne, le transmet à tout le monde et madame Nicol l'arrête.

- Merci d'avoir essayé, Abi. Bon, le temps passe, dépêche-toi de faire ton audition, Elle, pour que nous puissions passer aux autres rôles.

Je m'avance sur la scène et commence à lire et, tout à coup, je me sens très proche de princesse Caraboo. Je sais exactement ce qui lui passe par la tête. Sous toute cette confiance et ce bluff, elle est très fragile. Elle est seulement Mary Baker, qui avance sur une corde raide, qui ment pour survivre.

Quand j'ai fini, le silence plane. Je regarde Cath, Rose et Abi qui m'observent, le visage sans expression et je hausse les épaules, gênée. Je ne pensais pas que j'avais été si mauvaise.

- Merci, Elle, fait Nicol la Folle en me scrutant de son regard cerclé de noir avant de jeter de nouveau un coup d'œil à Catherine. OK, bon... je pense que j'ai trouvé ma princesse Caraboo. On passe aux autres rôles.

CHAPITRE 20

⇛ Grâce ⇚

– Mademoiselle Smith, en retenue ! aboie mademoiselle Tardif.

On ne peut pas dire que notre relation s'améliore, depuis notre rencontre. En fait, tout va de plus en plus mal depuis la semaine dernière, probablement parce que nous sommes obligées de nous voir si souvent, ce qui lui donne plus d'occasions de s'en prendre à moi.

– Tu vas participer aux discussions comme tous les autres élèves de cette classe, tu m'entends ? insiste-t-elle en me fixant du regard. Elle ne lâche pas le morceau, comme un petit terrier au poil gris et aux dents pointues. Elle s'est acharnée sur moi pendant tout le cours. Toute la classe attend et observe. Jusqu'ici, personne ne m'a entendue prononcer un seul mot.

– Donc, Grace, cite-moi l'une des méthodes employées par les suffragettes britanniques pour persuader le gouvernement d'accorder le droit de vote aux femmes. Une méthode.

Si seulement je pouvais parler, je pourrais lui en citer dix. Elles :

– ont organisé des marches ;

– ont signé des pétitions ;

– ont manifesté ;

- ont perturbé l'ordre social ;

- se sont bagarrées ;

- ont provoqué des incendies ;

- ont fait des grèves de la faim ;

- ont cassé des vitres ;

- ont fait exploser des bombes ;

... et quelques-unes d'entre elles sont mortes, aussi.

Mais je reste silencieuse. Mon visage me brûle, je garde la tête baissée et jette un œil à ma montre. Mon cœur se serre quand je vois que la fin du cours est dans une éternité.

– Des actes, pas des paroles, mademoiselle, propose Ryan du fond de la classe.

– Baxter, on ne prend pas la parole !

Ryan lève la main. JP et quelques autres sourient ou chuchotent des moqueries, et mademoiselle Tardif le remarque.

– Ça ne m'intéresse pas, Baxter, baisse la main.

– Mademoiselle, c'était le slogan des suffragettes. « Des actes, pas des paroles. » Vous avez donné un A à Grace pour sa rédaction, alors ça n'a peut-être pas d'importance qu'elle ne parle pas en classe...

– Ouais, soyons honnêtes, elle pourrait même ne pas venir en classe du tout, hein ? lance JP.

Mademoiselle Tardif pince les lèvres quand la classe se met à pouffer de rire.

– Puisque vous vous souciez tous les deux tellement de votre camarade, vous pourrez vous joindre à elle en retenue demain, lance-t-elle sèchement.

– Oh, mademoiselle, s'il vous plaît, c'est pas juste! réplique JP.

– La vie n'est pas juste, Jacob. Moi non plus. Je suis aussi petite que la vie est courte, et nous sommes toutes les deux dures et très décevantes. Tu t'en remettras.

Je me mords la lèvre. Si seulement j'avais appliqué ma tactique habituelle de me faire paraître plus bête que je ne le suis dans mes devoirs, Ryan n'aurait pas pu prendre ma défense, JP se serait tu lui aussi, et mademoiselle Tardif ne serait sans doute pas aussi intéressée par mon opinion.

Je jette un coup d'œil à Ryan et, à ma grande surprise, je remarque l'ombre d'un sourire sur son visage. J'ai passé la majeure partie de la semaine à essayer d'éviter tout le monde, en particulier JP, mais, tout comme Tardif, Ryan ne semble pas vouloir me laisser tranquille.

– Ne la laisse pas te faire du mal, me chuchote-t-il le lendemain après-midi, alors que je le suis pour aller en retenue. Imagine-la toute nue, ou sur les toilettes.

Il fait une grimace et se reprend:

– En fait, non. Surtout pas. Vraiment. C'est trop horrible. Je ne l'ai jamais vue, bien entendu, ajoute-t-il rapidement. Je crois que je vais me taire là, tout de suite...

Je ne peux m'empêcher de sourire. Ryan me regarde, le visage sérieux pour une fois.

– J'adore quand tu fais ça. Avec tes lèvres, comme ça, vers le haut...

En rougissant, je me détourne rapidement et m'assois à un bureau isolé dans un coin, loin de JP qui chuchote mon nom et tapote la chaise près de lui. Mademoiselle Tardif arrive, nous donne un sujet de rédaction et nous demande de nous mettre au travail en silence, puis ouvre son ordinateur portable et se met à taper dessus avec acharnement. Je garde la tête baissée et essaie de me concentrer sur le sujet de rédaction, sauf que mon esprit tourbillonne et que je n'arrête pas de penser à Ryan et à quel point il est différent des autres garçons. Avant de vraiment m'en rendre compte, je suis en train de griffonner une liste sur un bout de papier

Ryan

Tu es drôle.

Tu me défends.

Tu es attentionné.

Gentil.

Vraiment intelligent.

Mais est-ce que c'est authentique, tout ça?

Soudain, je remarque qu'il est en train de me regarder. Gênée, je glisse rapidement la liste dans ma poche, penche la tête et écris ma rédaction à toute vitesse.

Une heure plus tard, après un long discours sur l'impolitesse et le fait qu'elle n'a jamais laissé un seul élève passer à travers les mailles du filet, mademoiselle Tardif nous laisse partir. Je regarde ma montre, soulagée d'avoir encore beaucoup de temps avant que maman ne parte du café. J'ai fait promettre à Ellie de ne pas lui dire que j'ai dû aller en retenue, parce que je sais qu'elle serait horrifiée.

Ryan me rattrape et avance avec moi.

— Tu vas bien? me demande-t-il.

Je hoche la tête en rougissant parce que je me souviens de la liste, dans ma poche. JP, qui traîne près de l'entrée de la cour, nous dévisage quand nous passons près de lui.

— Tant mieux... Ne te rends jamais malade à cause de Tardif, OK? ajoute Ryan.

Nous avançons en silence sur la route.

— C'est correct, tu n'es pas obligée de me parler, m'annonce-t-il au bout de quelques minutes. Je ne vais pas te forcer à le faire.

Nous prenons le chemin qui mène au raccourci qui passe par la clairière aux pierres, et il me parle d'une petite crique un peu isolée de la plage principale et qu'on ne peut atteindre qu'en bateau, et où lui et son père sont allés pêcher le maquereau.

— On y voit des phoques, aussi. Cette année, j'ai vu trois bébés. Ils sont nés dans l'une des grottes qui sont à sec même à marée haute. Maintenant qu'ils sont adultes, ils sortent nager tout le temps. Ce sont de vraies petites sirènes.

Je repense aux phoques que nous avons vus le premier jour, et je me demande si ce sont les mêmes.

— Je pourrai te montrer l'endroit, si tu veux, propose Ryan alors que nous approchons du raccourci.

Deux filles sont assises sur le muret qui entoure un jardin, les jambes ballantes. Je les reconnais : ce sont les amies d'Ellie.

– Hé, Ryan, tu vas au party de Ben Dalpé ? demande l'une d'elles.

L'autre fille lui donne un coup de coude dans les côtes, ce qui la fait sursauter et réprimer un petit cri.

– Bien sûr, il a demandé à mon groupe de venir jouer quelques morceaux, répond Ryan.

– Nous aussi, on y va, n'est-ce pas, Cath ? demande la première fille en agitant la tête.

Cath hausse les épaules d'un air détaché.

– Peut-être, dit-elle en me jetant un regard dédaigneux, je n'ai pas encore décidé.

Elle lève les yeux et sourit à Ryan, puis se met à tortiller une mèche de ses longs cheveux bruns. L'autre fille demande à Ryan s'il a invité quelqu'un à y aller avec lui, et les trois se mettent à bavarder avec facilité. Je ne me sens pas à ma place et je saute sur l'occasion pour partir discrètement.

Je me dirige vers le chemin des pierres, quand Ryan m'appelle. Je me tourne et lui fais un signe de la main, mais il est maintenant assis sur le muret, entre les deux filles qui rient et boivent ses paroles. Tout à coup, j'éprouve une douleur sourde que je n'avais encore jamais ressentie avant. Est-ce que c'est de la jalousie ? En atteignant le cercle de pierres, j'essaie de me changer les idées en comptant les roches, et je remarque que la plus grande est un peu penchée vers l'arrière, comme si la jeune fille regardait le ciel quand elle avait été transformée. Je me dis que je suis en train de devenir aussi terrible qu'Ellie, avec sa folle imagination. Dix-sept. Deux de plus que la fois d'avant. Perplexe, je recommence à les compter quand j'entends une voix m'appeler.

– Hé !

Croyant que c'est Ryan, je me retourne, mais je suis très étonnée de voir JP.

– Tu ne sais donc pas que cet endroit est hanté ? me demande-t-il.

Je me retourne pour partir, mais il me bloque le chemin. Il est beaucoup plus grand que moi, et à peu près deux fois plus lourd.

– Tout le monde te trouve bizarre parce que tu ne parles pas, commence-t-il doucement. Certains pensent que tu ne peux pas parler, mais c'est des conneries. C'est du cinéma, tout ça, hein ?

Il fait encore un pas vers moi.

– Alors, dis-moi, à quoi tu joues ?

Perturbée, je fais un pas en arrière, mais trébuche contre une des pierres, perds l'équilibre et écorche mon bras nu sur sa surface froide et rugueuse. En voyant le mince filet de sang couler le long de mon poignet, JP fait son fameux petit sourire en coin.

– Bon, je sais que tu n'es pas une extraterrestre, alors, lance-t-il en me regardant droit dans les yeux. Pas de sang vert.

Je reprends difficilement mon équilibre, puis je passe devant lui en le bousculant et m'en vais en courant.

– Tu es peut-être un fantôme, crie-t-il derrière moi. Eux non plus, ils ne parlent pas. C'est un drôle d'endroit, où il se passe de drôles de choses, ici. Mais tu le sais déjà, n'est-ce pas ?

CHAPITRE 21

❦ Ellie ❦

— T'étais où? je demande à Grace qui entre dans la caravane précipitamment.

— En retenue, je te l'avais dit.

Elle est essoufflée, comme si elle avait couru. Elle laisse tomber son sac et se penche vers Bruno, pour que je ne puisse pas voir son visage, et lui fait un câlin.

— Qu'est-ce qui ne va pas?

— Rien.

— Ils ne sont censés te garder que pendant une heure, je lui rappelle. Qu'est-ce qui t'est arrivé au bras?

— Je me suis écorchée sur une des pierres.

Elle prend un mouchoir en papier dans la boîte posée sur la table et essuie le sang sur le dessus de sa main.

— Comment as-tu fait ton compte?

— J'étais juste en train de compter les roches.

Je sais, d'après sa voix et la façon dont elle évite mon regard, qu'elle me cache quelque chose, mais contrairement à moi, elle ment vraiment très mal.

- Ellie, ne t'approche pas de ce garçon... JP, m'annonce-t-elle soudain.

- Pourquoi?

Ses joues deviennent rouge écarlate. Ça lui arrivait aussi chaque fois que papa lui posait une question dont elle ne voulait pas qu'il connaisse la réponse.

- Je ne l'aime pas.

- Tu n'aimes personne.

- Je suis sérieuse. Il y a quelque chose en lui qui ne me plaît vraiment pas.

- Il fait juste un peu le niaiseux, des fois. Je le trouve plutôt drôle, en fait. Et il est vraiment mignon. C'est sans doute le gars le plus mignon de l'école.

- Écoute, ne t'approche pas de lui, OK?

- Ah, d'accord, toi, tu as le droit de traîner avec des garçons, mais pas moi. Tu n'as qu'un an de plus que moi. Ça ne te donne pas le droit de me dire quoi faire en permanence!

Nous sommes parties pour vraiment nous disputer, quand maman arrive.

- Pff, j'ai été debout toute la journée, dit-elle d'un air joyeux en accrochant son manteau et en glissant son sac sous une des banquettes. Vous avez passé une bonne journée d'école?

- Géniale, je lui réponds, tandis que Grace se retourne et va remplir la bouilloire à l'évier.

- Je suis tellement soulagée que vous vous soyez toutes les deux bien adaptées. Ça ne doit pas être facile de changer d'école en pleine année, comme ça...

- Mon amie Cath m'a demandé si je pouvais aller chez elle demain. Je peux y aller ? je demande à maman.

- Bien sûr, pourquoi pas. Je vais peut-être travailler encore demain, de toute façon. Pauvre Stan, sa femme est à l'hôpital.

Elle sort de la poche de son manteau un morceau de papier avec un numéro de téléphone.

- Je lui ai promis de l'appeler, ajoute-t-elle.

- Qu'est-ce qui lui est arrivé ?

- Elle est tombée.

- Par une fenêtre ?

- Non, je ne crois pas, répond maman, étonnée par ma question. Pourquoi dis-tu ça ?

- Je ne sais pas, pour rien.

«À moins que la pauvre femme ne soit finalement devenue complètement dingue.»

Quelques minutes s'écoulent avant que maman trouve le courage de prendre son téléphone cellulaire dans son sac. Papa le lui a acheté il y a plusieurs années, mais elle le gardait toujours éteint, ce qui l'énervait vraiment, parce qu'il ne pouvait pas la surveiller quand elle sortait. Tout le monde à l'école avait un cellulaire, à part moi (et Grace, mais, pour des raisons évidentes, elle n'en voulait pas), et je mourais d'envie de demander si je pouvais avoir celui de maman, puisqu'elle ne l'utilisait jamais. J'avais attendu que papa soit de très bonne humeur, sauf qu'il avait quand même piqué une crise terrible.

- Non, mais tu t'es entendue, la *Drama Queen*? Tu parles si fort que tu n'as pas besoin de téléphone. Tu n'as qu'à ouvrir une fenêtre et te mettre à beugler, le monde entier va t'entendre.

Je n'ai jamais redemandé, même quand, avant Noël, il m'a dit que je pouvais demander ce que je voulais.

Maman regarde son téléphone nerveusement avant de l'allumer. Il y a des dizaines de messages.

Grace se mord la lèvre.

- Ne les écoute pas, maman! je la préviens.

- Mais il y en a tellement! dit-elle, choquée. Et s'il lui était arrivé quelque chose?

- Il ne lui est rien arrivé. Il va bien. Il va toujours bien. Il n'arrive jamais rien de moche à papa. Maman, s'il te plaît, ne les écoute pas.

Trop tard. Elle appuie sur une touche, puis éloigne le téléphone de son oreille, comme s'il risquait de la mordre.

La voix assourdie de papa en sort soudain. Au début, il est en colère et impatient: «Où es-tu, espèce d'imbécile?» demande-t-il. Puis, dans le message suivant, son ton a changé et il se met à hurler et à l'insulter, à lui faire toutes sortes de menaces atroces. Bruno s'assoit, inquiet, sur sa couverture, pousse un gémissement, puis se rallonge, la queue entre les jambes. Dans son troisième message, la voix de papa est encore différente. Maintenant, il est si calme et parle tellement doucement qu'on l'entend à peine, et ça me fait encore bien plus peur qu'avant.

- Je vais vous trouver. Attendez de voir ça. Je vais m'occuper de vous, ça va barder.

La tête penchée, maman se met à effacer rapidement les messages. Quand elle a terminé, elle lève les yeux vers nos visages révoltés.

- Je suis désolée, chuchote-t-elle.

- Tu crois qu'il va nous trouver?

- Non, bien sûr que non, me répond-elle d'une voix un peu tremblante. Nous sommes en sécurité, ici.

Tout à coup, je ne me sens plus en sécurité. La nuit est tombée et les quelques lampadaires répartis dans le camping ne font pas assez de lumière pour qu'on puisse voir plus que des ombres effrayantes. Ce qui me fait peur, ce ne sont pas les fantômes. C'est papa.

Maman n'appelle pas Stan. Elle dit qu'elle le fera plus tard et elle enfouit rapidement le téléphone dans son sac, comme s'il s'agissait d'une arme dangereuse. Nous commençons à préparer le souper toutes les trois, mais nous sommes nerveuses et Grace brise une assiette en la faisant tomber accidentellement. Maman dit que ce n'est pas grave et essaie de faire des blagues à ce sujet, mais, sous ses mots joyeux, sa voix est à cran.

Je lui propose de faire changer le numéro du cellulaire, et de ne le donner qu'à l'école et aux gens que nous choisissons. Elle a l'air soulagée et promet qu'elle s'en occupera demain matin.

Chaque fois que nous entendons un bruit dehors, nous jetons un œil entre les rideaux et, avant de s'asseoir pour manger, maman verrouille la porte de la caravane, ce qu'elle ne fait jamais avant l'heure du coucher. Grace ne mange presque rien et je n'ai pas très faim non plus. Maman essaie de faire la conversation, mais Grace reste silencieuse, comme d'habitude, et je n'ai pas envie de discuter.

Tout à coup, un grand coup résonne à la porte de la caravane.

J'étouffe un hurlement et Grace devient pâle comme la mort. Maman attrape Bruno par le collier et l'entraîne vers la porte avec elle. Je ne peux pas m'empêcher d'émettre un petit rire nerveux. La seule chose que Bruno pourrait faire, ce serait lécher quelqu'un à mort, le transformant en boule baveuse. Mais il n'oserait pas faire ça à papa.

On entend un deuxième coup. Plus fort. Plus violent. Personne ne bouge, pas même Bruno.

CHAPITRE 22

❦ Grâce ❦

— C'est moi ! fait une voix bourrue, dehors.

— Stan ! lance maman en prenant une grande respiration et en ouvrant la porte.

— Je ne voulais pas vous faire peur, s'excuse-t-il en voyant nos visages affolés.

Il entre dans la caravane et reste là, debout, l'air mal à l'aise. Il semble plus vieux et plus grisonnant que dans mes souvenirs.

— Vous avez bien arrangé la caravane, constate-t-il en regardant autour de lui. C'est chaleureux.

— Merci. Je suis désolée, Stan, j'avais l'intention de vous appeler, lui explique maman. Comment va Daphné ?

Stan passe ses mains sur son visage, puis secoue la tête.

— Nous sommes mariés depuis cinquante ans, et c'est la première nuit que nous passons l'un sans l'autre.

— J'espère que tout va bien aller.

Stan hoche la tête, et demande à maman :

— Je sais que c'est votre jour de congé, demain, mais pensez-vous que vous pourriez me remplacer ?

– Bien sûr, sans problème, lui répond maman rapidement. J'y serai à la première heure.

– Le club de pêche a réservé la salle du café pour sa réunion, jusqu'à environ dix heures, mais je vais annuler, pour que vous puissiez fermer à l'heure habituelle...

– Non, ne vous inquiétez pas, tout ira bien. J'ai fait cuire des pâtisseries et des quiches, que j'ai mises au congélateur, et je pourrais préparer un risotto aux fruits de mer et une salade, s'ils veulent.

– Ils vont adorer. Vous êtes une pure merveille, Karine, conclut-il.

L'espace d'une seconde, maman a les larmes aux yeux et on dirait qu'elle va se mettre à pleurer. Elle cligne des yeux et se force à sourire. Elle lui répond :

– Je suis seulement contente de pouvoir aider.

On dirait que Stan est sur le point de demander quelque chose, mais il se contente de hocher la tête d'un air embarrassé et puis il fait demi-tour et s'en va, disparaissant dans les ombres, dehors.

Il est tard et maman annonce qu'il est temps d'aller au lit. Même Ellie ne proteste pas. Une demi-heure plus tard, allongée dans mon petit lit, je n'arrive pas à dormir. Je gigote et me tourne comme si quelqu'un avait mis des galets sous mon matelas. Dehors, le vent souffle très fort et siffle autour de la caravane, menaçant de la renverser.

Je pense à JP et essaie de me convaincre qu'Ellie a raison. Il est peut-être juste un peu niaiseux. Mais quelque chose à son sujet me rend mal à l'aise, me pousse à être tout le temps sur mes gardes. Je me rappelle ce qu'il a dit sur le cercle de pierres qui serait hanté, et je frissonne. Un jour, grand-mère m'avait expliqué que les fantômes ne sont que les gens du passé qui cherchent à retrouver ceux qu'ils ont perdus. Comme papa. On dirait qu'il nous hante.

Je me penche un peu et regarde dans le lit au-dessous du mien, et, dans le clair de lune, je vois Ellie, complètement réveillée elle aussi, qui regarde par la minuscule fenêtre les branches des arbres s'agiter dans le vent.

– Ça va ?

– Je ne sais pas trop, me répond-elle. À ton avis, qu'est-ce que papa a dit à tout le monde, à la maison ?

– Connaissant papa, il a dû en dire le moins possible.

– Tu crois qu'il va inventer une histoire selon laquelle on est en vacances, ou quelque chose comme ça ?

– Probablement.

– Et à tante Anna ? ajoute-t-elle.

– Il ne va pas lui parler, il ne lui parle jamais. Ne t'inquiète pas, Ellie.

– Je ne m'inquiète pas, me rétorque-t-elle, malgré sa voix qui dit le contraire. Bonne nuit, Gracinette.

Elle ne m'a pas appelée comme ça depuis qu'on était petites.

– Fais de beaux rêves.

Elle se retourne et se recroqueville sous ses couvertures. Au bout de plusieurs longues heures, je finis par m'assoupir, mais je fais d'atroces cauchemars dans lesquels papa se glisse dans la caravane pendant que nous dormons, casse tout et s'en prend à maman. Je me réveille en sursaut. Je transpire et j'ai mal au cœur. Il me faut au moins une bonne minute pour réussir à me calmer et me convaincre que ce n'était qu'un rêve. Mais, quand je me penche, je me rends compte qu'Ellie n'est plus dans son lit. Terrifiée, je descends et me précipite dans la pièce principale.

En m'entendant arriver, maman allume la lumière, le visage inquiet. Ellie est blottie tout contre elle. Elle se réveille aussi et se frotte les yeux.

– Mauvais rêve? me demande maman gentiment.

Je hoche la tête.

– Bienvenue au club, me lance-t-elle en faisant un geste de la tête vers Ellie.

Je grimpe dans le lit avec elles. Nous sommes vraiment entassées et je dépasse à moitié du matelas, mais ça m'est bien égal. Pas question que je retourne dans mon lit, toute seule dans la chambre. Maman nous borde toutes les trois avec la courtepointe de grand-mère, et j'essaie de trouver une position au moins un tout petit peu confortable.

Aucune ne parvient à s'endormir, alors au bout d'environ une heure, pendant laquelle Bruno donne des coups de patte pour essayer de monter sur le lit, lui aussi, maman abandonne et rallume la lumière. Elle nous prépare du lait au chocolat chaud, même si nous nous sommes lavé les dents et que nous n'avons jamais le droit de boire au lit. Nous nous assoyons sous la courtepointe et buvons nos laits au chocolat en écoutant le vent souffler. Nous ne voulons pas penser à papa.

– Stan est vraiment marié depuis cinquante ans? demande Ellie, au bout d'un moment.

– C'est ce qu'il a dit, répond maman.

– Mais as-tu déjà rencontré Daphné?

– Non.

– Elle n'a pas le droit de sortir?

– Comment ça?

– Eh bien, si elle était folle, par exemple, Stan devrait la tenir enfermée, non?

– Ellie, elle n'est pas folle! Et même si elle avait une maladie mentale, il ne l'enfermerait pas!

Ellie réfléchit pendant un moment.

– Alors, tu te souviens comme papa n'aimait pas que tu sortes? continue-t-elle.

Elle n'ose pas regarder maman, et moi non plus.

– Hmmm? fait maman doucement.

– Il te forçait à rester dans la maison tout le temps. Tu crois que c'est pareil avec Stan et Daphné?

– Les hommes ne sont pas tous comme ton père, ma chouette.

Ellie fait une grimace et demande:

– Ton père, il était comment?

– Grand-père? Il était... c'était... un homme incroyable.

Maman fixe un carré de tissu tout doux, à carreaux bleu et rouge, découpé dans une chemise d'homme.

– Grand-mère m'a expliqué un jour qu'il n'était pas né ici, mais j'ai oublié d'où elle m'avait dit qu'il venait, avance Ellie.

– Il venait de Tchécoslovaquie.

– Et comment est-ce qu'ils se sont rencontrés?

– Sur un bateau.

– Un bateau? Mais grand-mère détestait les bateaux! Qu'est-ce qu'elle faisait sur un bateau?

– Elle avait dix-sept ans et elle avait fait un voyage aux États-Unis avec sa classe. Ils avaient fait une excursion sur un bateau le long de la côte. Elle était assise sur des marches, parce qu'elle avait le mal de mer.

– Exactement comme moi, je déteste quand c'est...

Je jette un regard sec à Ellie. Je veux entendre l'histoire. Maman ne parlait jamais de grand-père et grand-mère à la maison, parce que ça énervait papa, qui lui disait de se taire. Il ne parlait presque jamais de ses propres parents non plus, sauf pour faire honte à maman, parce qu'ils avaient été tellement merveilleux dans absolument tous les domaines.

– Qu'est-ce qui s'est passé, alors? la pousse Ellie.

– Eh bien, grand-père l'a vue et a eu pitié d'elle. Il avait dix-neuf ans et était étudiant. Il venait d'arriver et ne parlait pas encore très bien le français, mais il s'est mis à jouer du violon pour faire oublier à grand-mère qu'elle ne se sentait pas bien. Grand-mère m'a dit que ça avait été l'amour au premier regard. Ils ont réussi à ne pas se perdre de vue et ils se sont mariés quelques années plus tard.

– Wow! lance Ellie. C'est tellement romantique. Et il jouait du violon, comme Grace!

– Il jouait de ce même violon. C'est grand-mère qui me l'a donné après la mort de grand-père. Elle avait toujours rêvé que l'une de vous apprenne à en jouer.

Je sens un frisson d'excitation me parcourir en apprenant que le violon dont je joue depuis le début est celui de mon grand-père. J'imagine que maman ne nous l'avait jamais dit de peur que papa refuse, pour une quelconque et stupide raison.

– Mais pourquoi n'est-il pas retourné dans son pays? demande encore Ellie.

– Il ne pouvait pas.

– Pourquoi?

– Je ne connais pas toute l'histoire, je ne sais que ce que grand-mère m'a raconté, mais, dans les années 1970, personne n'avait le droit de critiquer le gouvernement là-bas. Les gens dont la police secrète avait le nom sur leurs listes risquaient de disparaître pour toujours. Grand-père avait été mêlé à une manifestation d'étudiants, et puis il jouait dans un groupe, aussi – mais en secret, parce qu'ils n'avaient pas le droit de jouer en public.

– Pourquoi?

– J'imagine que les autorités pensaient que, si les gens écoutaient des musiques interdites, ils risquaient de se mettre aussi à suivre des idées interdites. Quoi qu'il en soit, un soir, il était sur le point d'aller participer à un concert très important, quand son père l'a prévenu de rester à la maison, parce que la police était au courant et allait arrêter tout le monde là-bas. Grand-père étant grand-père, il n'a pas écouté son père. Pourtant, plus tard cette nuit-là, alors qu'il traversait le bois pour se rendre à la grange où le concert devait avoir lieu, la police attendait là, comme son père le lui avait prédit. Ils l'ont vu avec son violon, l'ont reconnu et se sont mis à lui courir après. Il a réussi à leur échapper.

Mon cœur bat très vite.

– Qu'est-ce qu'il a fait, après ? l'interroge Ellie.

– Il savait qu'il ne pouvait pas rentrer chez lui, alors il est parti à pied et a traversé l'Autriche. Il n'avait que les vêtements qu'il portait et son violon. Il était exténué et mort de faim quand il est arrivé, et il a passé des mois dans un camp de réfugiés. Il a ensuite été autorisé à aller en Angleterre, puis aux États-Unis, où il a rencontré grand-mère.

– Il était très courageux, n'est-ce pas ? commente doucement Ellie.

Maman secoue la tête.

– Il ne voyait pas les choses comme ça, non. Une fois ici, il a même arrêté de jouer du violon, parce qu'il avait le sentiment d'avoir abandonné ses amis en s'enfuyant.

– Mais il n'avait pas le choix ! proteste Ellie.

Dehors, la tempête s'est calmée et tout est tranquille. On n'entend que le hululement d'un hibou. Je regarde encore le petit morceau de tissu rouge et bleu bien ordinaire, et je pense à mon grand-père extraordinaire. Tout à coup, je me sens en même temps très fière, mais incroyablement triste, et je regrette qu'il soit mort quand maman n'avait que onze ans. Celle-ci propose :

– On va essayer de dormir un peu, maintenant.

Et c'est drôlement agréable de se serrer toutes les trois sous la courtepointe de grand-mère, en sécurité et protégées de l'obscurité du dehors.

CHAPITRE 23

❧ Ellie ❧

Je sors d'un rêve dans lequel grand-père se fait pourchasser par des membres de la police secrète qui ressemblent tous à papa. Il est plus de dix heures et demie. Maman a dû partir travailler il y a plusieurs heures. Sur la table, il y a une note écrite de son écriture nette et penchée, dans laquelle elle nous demande de promener Bruno au moins une ou deux fois, me souhaite de bien m'amuser chez mon amie et nous supplie de ne pas faire de bêtises avant son retour ce soir.

Bruno est assis patiemment devant la porte de la caravane, dans l'espoir que son regard perce dedans, par magie, un trou en forme de chien par lequel il pourra passer pour courir vers la liberté. Grace dort encore profondément sous la courtepointe de grand-mère. Je trouve que ce ne serait pas gentil de la réveiller après la dure nuit que nous venons de passer, alors j'enfile mon jeans et un haut, je griffonne un autre mot sous celui de maman pour dire à Grace que je n'ai pas été enlevée, que je suis simplement sortie promener Bruno.

J'avais prévu d'aller à la plage, mais Bruno a une autre idée en tête. Il a senti un lapin et m'entraîne vers le chemin qui mène aux pierres.

- Ralentis! je lui crie, mais je gaspille ma salive: de toute évidence, ce qu'il a à faire ne peut pas attendre.

Arrivé dans la clairière, il zigzague d'un buisson à l'autre en reniflant vigoureusement.

- Allô!

Je me retourne et vois Suzanne, assise en tailleur sur une couverture écossaise étendue sur l'herbe devant l'une des pierres, son ordinateur portable sur les genoux.

- J'ai oublié ton prénom, me dit-elle.

- Elle.

- Elle... et ta sœur, c'est Grace, c'est bien ça?

J'acquiesce.

- Je ne t'avais pas reconnue, au début. J'aime bien tes cheveux!

- Merci.

- Je viens souvent écrire ici, reprend-elle. C'est toujours tellement tranquille. Certains jours, je suis sûre de sentir une sorte d'énergie sortir des pierres. C'est un peu fou, non? ajoute-t-elle en riant.

Content de cette occasion de pouvoir se faire caresser par une étrangère amicale, Bruno bondit vers elle et se présente.

- Bruno! je lui lance d'une voix sévère, alors qu'il lèche la pauvre dame avec un enthousiasme incroyable. Arrête!

- C'est correct. J'aime les chiens. Et toi, tu es adorable! lui dit-elle, ce qui l'incite à redoubler de vigueur.

J'essaie d'éloigner Bruno doucement.

- Votre livre avance bien?

- Plus ou moins. Je ne maîtrise pas encore le personnage principal de l'histoire. Il manque quelque chose.

- Elle pourrait être née chez les fées mais avoir été élevée par des parents humains, ou quelque chose comme ça, je lui suggère.

- Comme un changelin, un bébé fée qui a été placé chez des humains pour remplacer leur bébé volé?

- Oui... J'aimerais bien lire une histoire qui parle de ça.

- Hmm. Moi aussi.

Elle réfléchit un instant, puis reprend.

- Sais-tu comment les gens essayaient de découvrir si leur enfant avait été échangé contre un bébé fée?

- Ils regardaient s'il avait des ailes?

- Stan m'a raconté qu'ils mettaient une chaussure dans un bol de soupe qu'ils posaient devant le bébé, et si celui-ci se mettait à rire - ce qui voulait dire qu'il comprenait la blague -, ils savaient alors que c'était une fée.

- Mais le bébé aurait peut-être ri de toute façon... Certains bébés sont vraiment heureux tout le temps.

- Pas bête. Bon, tu sais, je ne suis pas sûre que Stan y connaisse grand-chose, aux bébés. En tout cas, j'espère que ça n'arrivait pas trop souvent, parce que j'ai aussi lu que si les parents croyaient que leur bébé était un changelin, ils le suspendaient au-dessus d'un feu pour que les fées leur rendent leur bébé humain.

- Ark, pauvre petit! Mais mon changelin serait intelligent, toujours en avance sur les choses. Il saurait exactement quoi faire pour convaincre tout le monde qu'il est humain.

- Ça me paraît vraiment ingénieux, comme histoire. C'est toi qui devrais l'écrire.

Je ne peux m'empêcher de faire une grimace.

- Je ne suis pas une vraie auteure, comme vous. Ce serait nul si c'était moi qui l'écrivais.

- Tu ne peux pas le savoir avant de l'écrire.

Elle fouille dans son grand sac de toile et en sort un carnet à la couverture bariolée violette.

- Tiens, j'en ai un de réserve, je te le donne. Écris ton histoire.

- Vraiment?

- Ce qui est important, ce sont les idées. Et, de toute évidence, tu en as beaucoup. Choisis les meilleures, et tisse-les ensemble, pour en faire un tapis volant. Tu verras, ça te permettra d'aller partout où tu le souhaites.

Je prends le carnet et la remercie. Elle reprend:

- Tu pourras me faire lire ce que tu auras écrit, si tu veux... Quand tu seras prête, bien sûr.

- OK, dis-je avec hésitation, en me souvenant de la réaction méprisante de papa à mes histoires sur Araminta. À condition que vous ne vous moquiez pas.

- Pourquoi est-ce que je ferais une chose pareille? me demande-t-elle, perplexe. À moins que ton histoire ne soit écrite dans le but d'être drôle, bien sûr.

Je hoche la tête.

- Merci beaucoup... Je dois y aller.

Je me dépêche de rentrer à la caravane en agrippant mon carnet. Je suis déjà en train de réfléchir à mon premier chapitre.

Assise à la table, Grace rédige une de ses listes idiotes en mangeant des rôties, et je vois, écrit bien nettement, tout en haut, le prénom *Ryan*, avant qu'elle ne fourre le morceau de papier dans la poche de son cardigan.

- Cath aussi l'aime bien, lui dis-je.

- Je ne vois pas de quoi tu parles, me jette-t-elle d'une manière dédaigneuse, en regardant mon carnet. Où as-tu trouvé ça?

En donnant à manger à Bruno, puis en me lavant les mains, je lui raconte ma rencontre avec Suzanne et lui explique que je vais me remettre à écrire.

- C'est une super bonne idée. J'adorais tes histoires!

- C'est vrai?

- Ouais, elles étaient géniales.

En souriant, je mets des céréales dans un bol, verse du lait par-dessus, puis prends une cuillère avant d'attaquer mon déjeuner. Bruno rôde près de mes pieds, dans l'espoir de pouvoir engloutir tout ce que je pourrais faire tomber par terre. Avant, j'en mettais vraiment partout quand je mangeais, à la maison. Je ne sais pas comment, mais les petits pois trouvaient toujours le moyen de sauter de ma fourchette, ou la soupe de glisser de ma cuillère juste avant que celle-ci atteigne ma bouche. Papa jurait que je le faisais exprès, mais ce n'était pas ça. C'est juste qu'il me rendait très nerveuse, à surveiller tous mes gestes.

Après le déjeuner, j'ouvre le carnet. Je trouve une carte postale du cercle de pierres, toute neuve, entre deux pages. Suzanne a dû la glisser là, puis l'oublier. Je la pose à côté du carnet et rentre dans mon histoire.

- Je croyais que tu devais aller chez ton amie, me dit Grace au bout d'un moment.

- Oui, mais pas avant trois heures, je lui réponds en écrivant frénétiquement dans mon carnet.

- Il est déjà deux heures passé, me précise-t-elle.

- Tu plaisantes?

Je glisse de nouveau la carte postale dans le carnet, et regarde mon jeans et mon haut tout bêtes. Cath m'a seulement vue porter mon uniforme scolaire. Je parie que, la fin de semaine, elle s'habille vraiment à la mode. Qu'est-ce qu'elle va penser de moi si je garde ces vêtements?

- Qu'est-ce qu'il y a? me demande Grace.

- Qu'est-ce que je vais mettre?

- Euh... Ce que tu portes maintenant?

- Mais je n'ai l'air de rien!

- Tu as l'air d'Ellie...

- Elle! Je m'appelle Elle, lui dis-je, en colère.

- Désolée. Bon, qu'est-ce qu'elle est censée porter, Elle?

- Pas ça, en tout cas!

Je regarde Grace lever les yeux au ciel, et j'ai tout à coup une idée.

- Est-ce que je peux t'emprunter des vêtements, s'il te plaît, alleeeeez!

- OK, dit-elle en haussant les épaules. Qu'est-ce que tu veux mettre?

- Quelque chose de spécial, je veux avoir l'air d'une star.

- Tu devrais peut-être plutôt demander à ton autre sœur...

- Oh, Grace, arrête! Tu es toujours magnifique. Tu serais belle même avec un sac de papier sur la tête.

- Ça, je peux peut-être t'en trouver un, plaisante-t-elle en souriant.

Nous passons dans la petite chambre et, une demi-heure plus tard, je porte la jolie robe tunique qu'elle s'est cousue il y a quelques mois, serrée à la taille par une ceinture de cuir ornée de coquillages, un *legging* long noir et des escarpins.

- Qu'est-ce que tu en penses?

Grace ne me répond pas, elle ajuste la tunique et me passe un long collier de coquillages autour du cou.

- Grace!

- Hmmm... Pas mal. C'est ce que je devrais faire, plus tard.

Je lui donne un petit coup de coude dans les côtes.

- Aïe!

- Merci, lui dis-je en sortant de la caravane.

- À plus tard, Elle! me lance Grace.

CHAPITRE 24

⫸ Grâce ⫷

La marée est basse, plus basse que je ne l'aie jamais vue. On dirait que la plage s'est allongée, car il y a maintenant environ un kilomètre et demi de sable couleur d'or pâle derrière moi, lavé et aplati par la mer. Tout au bout, près du café, quelques familles armées de seaux et de filets pêchent dans les flaques d'eau de mer. Le vent est frais. Je m'enveloppe un peu plus dans mon cardigan et j'observe quelques planchistes revenir vers la rive en profitant des meilleures vagues.

Je détache la laisse de Bruno et il se met à courir partout, tout excité, aboyant contre les algues et faisant le fou. Il saute dans la mer en éclaboussant partout, et je le suis au bord de l'eau tandis que l'un des planchistes se dirige vers nous.

C'est Ryan. Son visage s'illumine quand il me reconnaît. Il descend de sa planche et saute dans l'eau peu profonde, à quelques mètres de là où je me trouve.

– Grace !

Je lui souris et il me sourit en retour. Il s'approche et s'agite bruyamment autour de Bruno, en lui disant qu'il est un bon chien. Bruno le récompense en roulant sur le dos, ses pattes s'agitant en l'air. Leur amitié maintenant scellée, Ryan se tourne vers moi.

– Allez, viens, je vais te montrer les phoques. Ils sont près de la crique.

Il récupère sa planche et me prend la main. Sa main est gelée, mais ça m'est bien égal.

Il laisse sa planche à deux de ses amis, assis un peu plus haut sur la plage, puis nous montons vers le chemin de la falaise. Bruno ouvre la marche, le museau collé au sol pour renifler intensément.

– La crique est juste là, m'annonce Ryan en me montrant du doigt des roches élevées, plus loin.

Nous continuons de marcher pendant encore dix minutes, mais je suis inquiète de voir que le chemin s'approche de plus en plus du bord de la falaise. Pire encore, de gros morceaux de sol se sont effondrés, comme si quelqu'un avait pris de grosses bouchées d'un sandwich géant. Contrairement à Ellie, qui sauterait en élastique du haut d'un gratte-ciel pour s'amuser, je n'ai jamais aimé les hauteurs. Quand je suis en altitude, j'ai la tête qui tourne et je m'accroche désespérément au solide le plus proche. Maintenant, c'est à Ryan que je m'agrippe.

Nous nous arrêtons enfin et regardons la mer depuis notre perchoir. La seule chose qui nous empêche de faire une chute de dix mètres est une pauvre longueur de fil de fer qui pendouille. J'arrive à peine à jeter un œil à la petite crique de galet, en bas. Alors que je titube en m'éloignant du bord, j'aperçois l'entrée de l'une des grottes.

Nous nous assoyons sur un banc, bien loin du bord de la falaise, et Ryan me demande :

– Ça va ?

Je fais oui de la tête, heureuse de ne pas avoir paniqué ou de ne pas m'être évanouie. Je suis gênée de me rendre compte que je serre la main de Ryan tellement fort qu'il a du mal à ne pas grimacer de douleur, alors je desserre mon emprise. J'ai chaud et je suis troublée, alors j'enlève mon cardigan et je prends de grandes respirations. Assis en sécurité, nous regardons la mer avec une grande concentration. Au bout de quelques minutes, un phoque sort de l'une des grottes, encouragé par un autre qui ne s'éloigne pas de lui. La mer est mauvaise et agitée, et le petit phoque a du mal à nager contre le puissant courant qui essaie de l'emporter loin des rochers, vers la haute mer. Tout à coup, il disparaît complètement. Je regarde partout à la surface de l'eau, sans le repérer. Et enfin, je le vois remonter à la surface, à au moins dix mètres de sa plongée. Il se bat vigoureusement contre les vagues et réussit à atteindre les rochers. L'autre phoque grimpe aussi, se blottit contre le petit pendant un moment, et puis ils s'installent tous les deux, côte à côte... et prennent un bain de soleil.

Nous sommes si occupés à les observer que j'en oublie Bruno. Quand je baisse la main pour le caresser, il n'est plus là. Je regarde autour de moi, m'attendant à le voir, le museau au sol et en train de suivre la piste d'un lapin, mais je ne le repère nulle part. Soudain, un glapissement sort d'un gros buisson qui pousse près de la clôture métallique, puis on entend des grattements, suivis de gémissements de peur.

Nous nous précipitons à la clôture, et regardons par-dessus le bord de la falaise. Plusieurs mètres plus bas, sur une étroite avancée de roche, Bruno nous regarde d'un air pitoyable en essayant de remonter sur la falaise. Il ne pourra jamais grimper sans aide.

– Attends-moi ici, m'ordonne Ryan et, avant que j'aie pu l'arrêter, il passe par-dessus la clôture.

Je le regarde, pétrifiée, descendre lentement contre la paroi rocheuse vers Bruno, qui bat de la queue de plus en plus fort en le voyant arriver. Enfin, Ryan saute sur l'avancée où se trouve Bruno. Il lui parle doucement et le rassure gentiment en passant la main sur sa tête, sur son dos et le long de ses pattes pour vérifier qu'il n'est pas blessé.

– Je crois qu'il va bien, me lance-t-il.

Mon cœur bat extrêmement fort quand je le vois soulever Bruno et le déposer sur une autre petite avancée, un peu plus haut, en lui disant de ne pas bouger tandis qu'il grimpe pour le rejoindre. Je pousse un soupir de soulagement en voyant que Bruno fait ce qu'on lui dit et je remercie mentalement Ellie de l'avoir dressé en secret, malgré papa qui disait que c'était le cabot le plus stupide du monde. Ellie et moi avons toujours pensé que papa avait tort. Bruno n'est pas stupide du tout, il sait juste instinctivement à qui il peut faire confiance.

Bruno est le premier à poser les pattes sur le bord de la falaise et j'attrape rapidement son collier pour y attacher sa laisse, avant d'enrouler celle-ci autour d'un des poteaux de la clôture pour qu'il ne puisse plus s'échapper. Ryan n'est pas loin derrière, mais son pied dérape et fait tomber une roche grosse comme un ballon, qui dégringole jusqu'en bas, sur la plage, où elle s'écrase dans un craquement sinistre.

Je réprime un cri tandis qu'il attrape une branche de buisson rabougri pour arrêter de glisser. Il lève les yeux vers moi.

– Tout va bien, pas de problème, me dit-il, mais son visage est marqué par la douleur et je vois bien qu'il essaie de ne pas bouger.

Tentant de ne pas regarder en bas, je m'allonge au sol, aussi près que possible du bord de la falaise. À plat ventre sur l'herbe, j'entoure fermement de mon bras le poteau de ciment le plus proche et, dans un élan désespéré, je me tortille pour m'approcher, je me penche par-dessus le bord de la falaise et tends mon autre bras pour que Ryan s'y accroche.

Il lève la main et attrape la mienne fermement, puis il se hisse maladroitement le long de la paroi rocheuse, avant de s'affaler sur l'herbe.

Pendant un moment, il ne bouge pas. Son visage est blanc comme la craie. Puis, il me regarde droit dans les yeux et un petit sourire apparaît au coin de sa bouche.

– Hé, ne t'inquiète pas... Je suis encore entier !

CHAPITRE 25

❦ Ellie ❧

Je n'ai pas de mal à trouver la maison de Cath. Elle m'avait dit que c'était la bleue avec des fenêtres vert pâle, dans le port. Je m'attendais à une petite maison de pêcheur, mais elle est beaucoup plus imposante, avec du gravier devant et un aménagement paysager, et elle ressemble à ces maisons chics qu'on voit dans les magazines. Papa serait impressionné. Nerveusement, je sonne à la porte et attends. Quelques secondes plus tard, Cath m'ouvre.

- Elle! Entre!

Elle porte un jeans et un t-shirt. Tout à coup, je me sens trop bien habillée.

- J'adore ça! me dit-elle en caressant le bord du tissu de ma tunique. Tu l'as achetée où?

- Euh… Dans un magasin, pas loin de là où j'habitais avant, il y a super longtemps.

- Catherine, qui est-ce? demande une voix de femme.

- Mon amie Elle, répond Cath, et je me sens tout à coup extrêmement fière. Non seulement je n'ai jamais invité personne chez moi, mais personne ne m'avait jamais invitée non plus.

Les murs de l'entrée sont couverts de magnifiques tableaux et de tapis indiens, et tout a l'air très précieux.

- Wow, fais-je, sans pouvoir m'en empêcher.

- Ce n'est pas aussi beau que ta nouvelle maison, rétorque Cath en riant. Et on n'a pas de piscine - seulement un aquarium!

Je me force à sourire. Nous montons dans sa chambre et sommes en train de bavarder quand sa mère arrive en portant un plateau.

- Je me suis dit que vous aimeriez sans doute un peu de jus de fruits et des biscuits, dit-elle. Quelle magnifique robe, Elle.

- Merci.

- Elle l'a achetée à Québec.

- C'est superbe. Très classe. Cath, tu as montré tes poupées à Elle? lui demande-t-elle.

- Maman! fait Cath en rougissant.

- Oh, Elle, tu vas voir, elles sont vraiment jolies, Cath en a toute une collection.

- Tu veux bien y aller, maintenant, maman, s'il te plaît? lui demande Cath, morte d'embarras.

- Voyons, fait sa mère, je suis sûre qu'Elle adorerait jouer avec.

Je hoche la tête poliment, mais sans conviction.

- Est-ce que papa a mis du crédit sur mon téléphone? demande Cath à sa mère en la faisant sortir rapidement de sa chambre.

- Il est en train de le faire en ce moment même, ma chérie.

- Merci, bye, à bientôt.

Cath ferme la porte derrière sa mère, puis se tourne vers moi.

- Je me disais qu'on pourrait aller retrouver Abi sur la plage, ou ailleurs...

- Oh, OK, d'accord, dis-je en essayant de cacher ma déception. Malgré la drôle d'histoire sur les poupées et la collation de maternelle, j'adore être chez Cath avec elle.

- On s'ennuie teeeellement ici! Surtout avec papa et maman qui sont toujours sur mon dos, grogne Cath en se fourrant un demi-biscuit dans la bouche. Beurk, des raisins secs! Je déteste les raisins secs! On dirait des crottes de lapin.

Je rigole, mais je mange tout de même mon biscuit.

- Tu ne parleras à personne de mes poupées, hein? ajoute-t-elle.

Je secoue la tête.

- Bien sûr que non.

- Je ne joue plus avec, maintenant, mais, quand j'étais petite, je rêvais tellement d'avoir une sœur que je faisais comme si elles étaient toutes mes sœurs. C'est triste, mais c'est comme ça.

Nous venons de terminer la collation quand quelqu'un frappe de nouveau à la porte. Une tête d'homme apparaît.

– Tiens, princesse, dit-il en lançant doucement à Cath un téléphone cellulaire.

– Papa ! J'aurais pu le faire tomber !

– Toi ? Bien sûr que non !

Il se tourne vers moi.

– Alors, c'est toi, la fameuse Elle ? J'ai entendu dire que ton père était acteur...

– Euh, oui, je réponds nerveusement en me préparant à éluder les questions gênantes qu'il risque de me poser.

– Notre Catherine est partie pour la gloire et la fortune, elle aussi. N'est-ce pas, princesse ? Elle a vraiment beaucoup de talent. Elle tient ça de moi, évidemment.

– Papa, va-t'en ! lance Cath en faisant de nouveau la grimace.

Et il s'en va... mais en chantant à tue-tête !

– Allons nous promener, l'air n'est pas sain, ici, commence Cath en imitant l'accent français et en faisant semblant d'avoir l'air affolée.

Je ne peux pas m'empêcher de la trouver chanceuse d'avoir un père qui la trouve tellement merveilleuse.

Pendant que nous montons la rue, elle envoie un message texte à Abi qui lui en envoie immédiatement un autre en réponse, pour lui dire qu'elle nous retrouve dans cinq minutes, devant la boulangerie.

Quand nous arrivons, Abi nous attend déjà. Se détendre avec ses amis en fin de semaine est quelque chose de complètement nouveau pour moi, mais je ne veux pas que Cath et Abi se rendent compte à quel point ma vie était plate jusque-là. Nous nous dirigeons vers la rue principale, puis nous prenons le chemin de la plage, où nous nous assoyons sur le sable pour rire et discuter. Je suis bien décidée à profiter de chaque minute de cette journée. Cath et Abi n'arrêtent pas de parler du party de Ben Dalpé, qui a lieu ce soir, et me demandent si je veux y aller.

- Ouais, j'aimerais beaucoup.

- On pourrait venir te chercher, me propose Cath.

- Non, je vais vous retrouver là-bas.

Ça ne suffit pas à les dissuader.

- Où est-ce que tu vis exactement, au fait? me demande Abi.

Elles me regardent toutes les deux, maintenant. Qu'est-ce que je peux leur dire?

- Derrière la plage, dis-je en restant vague.

Tout à coup, je me rends compte de mon erreur: il n'y a pas de maisons, derrière la plage. Cath le constate rapidement.

- Au camping de caravanes?

Toutes les deux me regardent avec surprise.

- Pourquoi ta mère n'a-t-elle pas loué un appartement en ville? me demande Abi.

Mon cerveau fonctionne à toute allure et mes mains se mettent à transpirer. Qu'est-ce que je pourrais bien leur dire? Si je ne me débrouille pas comme il faut, tout va tomber à l'eau. Tout à coup, j'ai une inspiration.

- Eh bien... parce qu'elle est... écrivaine.

- Non!

- Vraiment?

Abi et Cath ont toutes les deux l'air plutôt impressionnées.

- Ouais. Elle fait des recherches pour son prochain livre, et son personnage principal vit dans un camping de caravanes, comme celui-là. C'est l'endroit parfait pour s'imprégner de l'atmosphère et s'assurer que les détails qu'elle décrit sont plausibles... Enfin, c'est l'endroit parfait pour elle, quoi...

Et je lève les yeux au ciel et émet un petit grogne-ment pour bien montrer que ça ne m'amuse vraiment pas.

- Eh bien, fait Abi avec un petit rire, je ne suis pas sûre que ça me tenterait.

- Oh, moi oui, s'exclame Cath. J'adorerais vivre dans une caravane. Mais il faudrait que ce soit une de ces anciennes roulottes de bohémiens, qui ressemblent à des chariots, et qui sont peintes de couleurs vives. Je ferais la cuisine dehors sur un grand feu, avec une bouilloire qui pendrait au bout d'une chaîne. La nuit, je m'allongerais sur ma petite couchette et je regarderais les étoiles. Ce serait carrément merveilleux.

– Pas si tu avais trois frères qui sentent mauvais et un chien qui a des problèmes d'intestin, grommelle Abi. Parce qu'alors ce serait un peu l'enfer.

– Mais ce n'est pas ton cas, Elle, n'est-ce pas? me demande Cath en se tournant vers moi.

Je secoue la tête.

– Et puis, continue-t-elle, ce ne sera plus très long, parce que votre nouvelle maison sera bientôt prête.

– Ouais, ça ne me gêne pas de vivre un peu à la dure pendant quelque temps.

– Alors, est-ce que ta mère a écrit plein de livres? s'informe Abi.

– Plein, je réponds, sans donner plus de précisions. Elle a toujours des tas de nouvelles idées. Elle dit qu'elle les tisse ensemble pour en faire un tapis volant, et qu'après, elle peut aller partout où elle veut.

– Est-ce qu'on pourrait la rencontrer? me questionne Cath tout excitée, en sautant sur ses pieds.

– Oui, bien sûr, mais, euh, en ce moment, elle écrit. Elle a besoin de paix et de tranquillité pour pouvoir se concentrer. Elle n'aime pas qu'on la dérange.

C'est alors que je vois avec horreur, sur la falaise, Grace, Bruno et Ryan, le garçon de l'école.

Je me déplace dans l'espoir qu'Abi et Cath ne les remarquent pas, mais une seconde trop tard. Cath lève les yeux et fait une grimace, et Abi fait un petit bruit agacé en claquant sa langue contre ses dents.

- Mais qu'est-ce qu'elle a, cette fille? Elle est toujours accrochée à Ryan, se plaint-elle en les fixant du regard.

Mon cœur fait un bond dans ma poitrine quand Grace tourne la tête vers nous. Je sais qu'elle m'a vue.

- Qu'est-ce qu'elle regarde, comme ça? marmonne Cath.

Elle se tourne vers moi et me regarde avec suspicion pour la première fois.

- Tu la connais ou quoi? me demande-t-elle.

- Non, dis-je entre mes dents et en secouant la tête.

Ce petit mot sort de ma bouche et tombe comme une goutte de poison, remplissant l'air d'un gaz mortel invisible. Ma gorge se serre. J'ai dit un nombre incroyable de mensonges, dernièrement, mais celui-là les surpasse tous. Quel genre de personne efface sa propre sœur de sa vie?

Je peux encore rétablir la vérité, mais je me rends alors compte que, si je leur dis que je leur ai menti, elles vont me lâcher comme une vieille crotte, et que je n'aurai de nouveau plus d'amies. Je ne peux pas supporter cette idée.

- Elle vit au camping, j'ajoute, incapable de me taire.

- Venez, on s'en va, dit Cath en passant son bras sous le mien.

Nous tournons toutes les trois le dos à Grace et Ryan et repartons vers la ville. Je ne suis pas en forme et Cath fait la tête. Pour nous redonner le moral, je dépense tout mon argent pour nous acheter des crèmes glacées. Nous nous promenons en regardant les vitrines des magasins en léchant des cornets de crème glacée au caramel saupoudrée de brisures de chocolat, ce que j'aime le plus. La crèmerie dans laquelle nous les avons achetés ne devait pourtant pas être très bonne, parce que je trouve que les morceaux de caramel craquent comme du sable entre mes dents, et que la crème glacée est fade et poudreuse.

CHAPITRE 26

⚛ *Grâce* ⚛

Je regarde Ellie disparaître avec Cath et son amie et je soupire. Des centaines de filles de l'école avec lesquelles Ellie aurait pu être amie, il a fallu qu'elle choisisse les deux qui souhaiteraient le plus me pulvériser. Je suis en train de me demander exactement ce qu'Ellie leur a raconté sur nous, quand Ryan me regarde.

– Je crois que je me suis blessé le bras, m'annonce-t-il en tressaillant de douleur.

Nous utilisons mon cardigan pour lui mettre le bras en écharpe, puis nous retournons vers la plage, où ses amis lui promettent de rapporter sa planche.

Il vit près du marché, dans une petite maison jumelée. Le jardin de devant est plein de vélos et de cadavres de vélos, de vieilles planches à voile cabossées et de chariots de fabrication artisanale, tous appuyés contre le mur du jardin comme des pierres tombales.

– Ah, la douceur de son chez-soi, annonce-t-il en ouvrant la porte d'entrée défraîchie. Salut, papa !

– Tu as vu l'heure ? fait une voix depuis la cuisine.

– Je suis désolé, j'ai eu un petit accident.

Un homme dans un fauteuil roulant électrique apparaît dans le cadre de la porte de la cuisine.

– Ça va, mon garçon ? demande-t-il, inquiet.

– Ça va. Je suis juste tombé de la falaise, plaisante Ryan. Voici Grace, au fait. Et Bruno.

Le père de Ryan a l'air énervé.

– Ravi de te rencontrer, me dit-il.

Il libère le bras de Ryan de mon cardigan avant de l'observer attentivement.

– Ne t'inquiète pas, papa, ça va beaucoup mieux maintenant, je me suis probablement juste froissé un muscle, le rassure Ryan.

– Tu m'avais promis de rentrer dans l'après-midi pour emmener Henri et Tom jouer au ballon dans le parc. Tu n'étais pas censé tomber d'une falaise.

– Mais je suis là, maintenant. Et je vais bien, l'assure Ryan alors que deux petits garçons d'environ cinq ans, qui se ressemblent comme deux gouttes d'eau, descendent l'escalier bruyamment avant de se lancer sur lui.

– J'ai faim ! dit l'un deux en s'accrochant aux épaules de Ryan comme une petite moule à son rocher, pendant que l'autre se met à caresser Bruno, qui se laisse étouffer sous les câlins sans se laisser démonter.

– OK ! On va donc préparer le souper plus tôt que d'habitude. Qu'est-ce que vous voulez ? demande le père de Ryan en allant ouvrir le réfrigérateur.

– Des saucisses ! disent en chœur les jumeaux.

– Bon, eh bien... d'accord, alors, si c'est vraiment ce que vous voulez. Je prépare des saucisses.

Je jette un regard discret dans le réfrigérateur et vois cinq ou six paquets de saucisses empilés sur la tablette, et pas grand-chose d'autre.

– Grace, tu veux bien me passer cette poêle, s'il te plaît ? me demande-t-il comme si je faisais simplement partie de la famille.

Vingt minutes plus tard, nous l'avons tous aidé – ou nous avons tous été dans le chemin – et cinq assiettes de saucisses, œufs et tomates sont posées sur la table de la cuisine, à côté du beurre et d'une montagne de rôties empilées sur une planche à découper en bois.

– Eh bien, assieds-toi, Grace, me propose le père de Ryan. Vas-y et attaque ton assiette, sinon je connais des mouettes qui vont tout te voler de la bouche.

Il sourit en regardant ses garçons, puis fronce soudain les sourcils.

– Ryan, lance-t-il d'un ton autoritaire, nappe !

Ryan le regarde, sans comprendre. Il répète :

– Nappe ?

– Prends la nappe, dans le tiroir.

Ryan me lance un drôle de regard, mais obéit à son père. Il fouille dans la commode repeinte posée dans le coin de la pièce, et finit par en sortir une vieille nappe usée, avec un motif d'arbre de Noël en bordure. Tout est un peu chaotique pendant que nous soulevons les assiettes, les plats et les couverts pour étaler la nappe soigneusement sur la table, puis replaçons le tout par-dessus.

– C'est mieux! juge son père en hochant la tête, avançant son fauteuil jusqu'à la table et prenant un des jumeaux sur ses genoux pour que je puisse m'asseoir sur la chaise du petit. On ne voudrait pas que ton amie nous prenne pour des hommes des cavernes.

Je lui souris.

– Bon appétit! Tu vas voir, on sait cuisiner les saucisses, chez nous!

Et ça mange, ça parle, court autour de la table, renverse du ketchup, essuie le ketchup... Il y a des débats vigoureux pour déterminer qui sont les meilleurs joueurs de hockey, s'il y a des dinosaures qui vivent sous les lits des jumeaux, combien sont carnivores et combien herbivores. Dans tout ce chaos, ça n'a visiblement aucune importance que je reste parfaitement silencieuse, parce que, à eux quatre, ils mettent déjà assez d'animation. Et je me souviens de tous les repas pris à la maison, où Ellie, maman et moi étions assises bien droites, anxieuses, pendant que papa se plaignait de la nourriture et donnait des leçons à maman sur la façon dont elle aurait dû cuisiner le plat. Je pense à toutes les différences entre le père de Ryan et le mien.

En quinze minutes, presque tout a été englouti. Le père de Ryan me voit regarder curieusement Ryan et les jumeaux qui règlent leur compte aux dernières tranches de pain.

– Ils sont en pleine croissance, tu vois, m'explique-t-il. Ce sont des estomacs sur pattes, ils ne sont jamais rassasiés.

Après le souper, Ryan et moi emmenons Henri et Tom dehors, dans le minuscule jardin à l'arrière, où ils jouent, tout excités, avec Bruno.

– Ils adoreraient avoir un chien, me dit Ryan. Je viens de les entendre planifier de le kidnapper et d'aller le cacher dans leur chambre.

Le portail du jardin s'ouvre et les deux amis de Ryan qui se trouvaient à la plage entrent dans la cour. Le plus grand, qui est aussi le plus boutonneux, tient une guitare basse dans la main, et l'autre a apporté la planche à voile de Ryan. Il l'appuie contre la clôture.

– Jackie ne peut pas venir jouer ce soir, annonce-t-il. Sa mère l'a privé de sortie.

Les deux autres gars ricanent, mais Ryan, lui, est atterré.

– Ce n'est pas vrai! s'exclame-t-il. Mais qu'est-ce que nous allons faire?

– On va jouer nos vieux morceaux... mais encore plus mal que d'habitude, suggère le premier gars en haussant les épaules.

– Ce n'est pas drôle, Daniel, on va avoir l'air de pauvres nuls.

– Comme d'habitude! lance Daniel, l'air un peu désespéré.

– Comment ça?

– Eh bien, tu sais, ces hurlements à la emo-screamo... mettons que ça me tanne!

– Mais c'était ton idée, lui répond Ryan.

– Ouais, mais seulement parce que c'est plus facile de faire ça. Je ne connais que trois accords. Et on dirait que personne n'a remarqué que Kev n'a vraiment aucune oreille.

– Mais ce n'est pas vrai! proteste Kev. Concert de Noël de ma dernière année de primaire, ajoute-t-il en se frappant la poitrine d'un air indigné. *Noël blanc.* Tout le monde pleurait.

– Oooooh, quand j'entends mentir... Kevin, se met à chanter Daniel d'une voix faussement grave.

Kev se lance sur Daniel, lui passe le bras autour du cou et, l'étranglant à moitié, le fait tomber par terre.

– Je pense que vous conviendrez que c'est très difficile de respecter une mélodie quand un abruti comme celui-ci vous a dit de chanter en hurlant, fait Kev en serrant les dents.

– OK, désolé, tu chantes comme un petit oiseau, lance Daniel en riant, tandis que Kev relâche sa prise et retrouve sa dignité.

– Qu'est-ce qu'on va faire, alors? demande Ryan.

– Pourquoi est-ce qu'on ne demanderait pas à ton père? suggère Kev.

– Oh non. Non, non! Je ne veux pas que mon père joue dans notre groupe! répond Ryan. Et pourquoi pas ma tante Jeanne, pendant qu'on y est?

– Elle joue de quel instrument?

– Daniel! Sérieusement, dans moins de deux heures, on doit jouer devant les cinquante personnes invitées au party de Ben Dalpé. On va se faire jeter dehors.

– Bon, et si on lui disait qu'on ne peut pas jouer parce que... on est tous malades? propose Kev.

– Malades de quoi? De maigreur en phase terminale? riposte Ryan. Il faut regarder les choses en face, on est déjà morts.

Il se retourne et me regarde, l'air pensif, avant d'ajouter d'un ton implorant:

– À moins que...

Je sais exactement ce qu'il s'apprête à me demander et je secoue la tête doucement. Pas question que je me fasse embarquer dans leur groupe. Ryan pousse un soupir résigné.

– Viens au moins nous regarder répéter, alors.

Nous traversons le jardin pour entrer dans le garage, tout au bout. À l'intérieur sont installés une batterie, dont la grosse caisse porte l'inscription «Les Dégâts», dessinée à la peinture noire qui s'écaille, deux micros sur pied et des amplis. Avec les jumeaux et Bruno, nous nous installons sur des coussins un peu moisis, au fond, tandis que Ryan, Daniel et Kev se préparent à jouer leur premier morceau.

– Un! Deux! Et un, deux, trois, quatre!

Absolument rien n'aurait pu me préparer à ce qui se passe ensuite.

Le vacarme est horrible. Vraiment atroce. Je pense à la pauvre madame Williams, à côté, et je me demande pourquoi elle n'a pas envoyé son Steven il y a bien longtemps.

Henri et Tom se plaquent les mains sur les oreilles, et partent en courant et en criant au bout de trente secondes. Bruno se met à hurler par solidarité. Je reste assise sans bouger, écoutant poliment mais rêvant du moment où cette torture va s'arrêter. Pour être honnête, Ryan, à la batterie, n'est pas mauvais, et si Kev chantait au lieu de hurler, ce serait supportable.

Enfin, ils arrêtent de jouer. Le silence est assourdissant. Ryan me regarde.

– Papa a un vieux violon, en haut. Il jouait dans un groupe de musique folk avant que maman... Bref, et si je... Si j'allais le chercher?

Et il me regarde d'un air tellement désespéré que ma détermination s'envole. Je repense à la façon dont il a sauvé Bruno, aujourd'hui, et je me dis que je ne veux absolument pas qu'il ait l'air d'un nul devant cinquante de ses camarades de classe. Avant même de m'en rendre compte, je hoche la tête pour lui dire oui.

CHAPITRE 27

Ellie

Quand j'arrive à la caravane, Grace et Bruno ne sont pas encore rentrés, alors je décide de continuer à écrire mon histoire. Mes mots ont du mal à sortir et, alors que j'aborde le passage où la méchante fée vole le bébé humain dans son berceau pour le remplacer par le sien, la porte s'ouvre et Bruno entre en sautillant, suivi de Grace. Je lui fais une petite caresse sur la tête, puis je continue à écrire.

- Ça va? me demande Grace en ouvrant une boîte de nourriture pour Bruno, qui la regarde, l'air affamé.

- Bien sûr.

Mais Grace me connaît si bien qu'elle sait que ce n'est pas vrai.

- Maman voudrait bien que tu viennes ici avec tes amies, tu sais. Ce n'est pas comme quand on vivait avec papa.

- Je ne veux pas qu'elles viennent ici, je lui réponds en prenant un air détaché.

- À cause de moi? me demande Grace.

- Non.

- Qu'est-ce qu'il y a?

- Rien.

- Tu t'es disputée avec elles?

- Mais non, pourquoi?

J'évite son regard, honteuse d'avoir prétendu, plus tôt, qu'elle n'était pas ma sœur.

- Ellie, écoute, je sais qu'elles ne m'aiment pas, mais tu n'as pas à prendre ma défense, tu sais.

Je sens des larmes me brûler les yeux.

- Mais qu'est-ce qu'elles ont bien pu te dire?

Je m'essuie le visage de la paume de la main, et jette un coup d'œil par la fenêtre. J'aperçois Ryan, en train de l'attendre.

- Rien. Va retrouver ton chum.

- Ce n'est pas mon chum, me reprend-elle. C'est juste… un ami.

- Ouais, ouais, je lui réponds d'un ton grognon en penchant de nouveau la tête sur mon carnet.

Elle se dirige vers la porte.

- Je reviens dans quelques heures. Ça ne te dérange pas de rester toute seule jusque-là?

- J'ai treize ans, je ne suis plus une gamine!

- Je sais.

Je lève les yeux.

- Grace?

- Ouais?

- Je suis désolée.

- Mais voyons, me dit-elle, tu n'as pas à être désolée de quoi que ce soit.

J'ai pourtant une bonne raison d'être désolée.

Je les regarde disparaître à l'autre bout du camping, Ryan parlant joyeusement à Grace qui hoche la tête et lui sourit de temps en temps. Une demi-heure plus tard, je me brosse les cheveux, puis j'enfile ma veste. Bruno me regarde avec espoir, pensant que je vais l'emmener se promener encore.

- Sois sage, lui dis-je. Je reviens bientôt.

Je trouve le morceau de papier sur lequel Cath a griffonné l'adresse du party, et je me dis que je ne vais rester qu'une petite demi-heure. Je serai donc de retour avant que Grace ou maman ne soit rentrée. Elles ne sauront même pas que je suis sortie.

À la maison, je n'étais jamais invitée à des fêtes. Ça me rendait tellement jalouse d'entendre les autres filles, à l'école, planifier d'aller les unes chez les autres et parler des merveilleux moments qu'elles avaient passés. On m'a organisé ma propre fête, quand j'avais huit ans. J'étais excitée depuis des semaines et, quand le jour est enfin arrivé, j'ai enfilé ma robe toute neuve. Je me sentais comme une princesse.

Tout était parfait: le salon était décoré de lumières féeriques et de ballons, et papa a fait un spectacle de magie. J'étais tellement contente et fière de lui. Tout le monde disait que c'était la plus belle fête jamais vue.

Et puis, au moment du dessert, un désastre s'est produit. J'ai fait tomber un gros morceau de gâteau de fête plein de glaçage sur ma robe neuve. J'ai essayé de tout racler avant que papa le voie, mais j'ai tellement paniqué que je n'ai fait que tout aggraver. Le glaçage au chocolat s'est étalé encore davantage.

J'ai entendu papa arriver, alors j'ai chuchoté à Grace de ne rien dire, et j'ai caché la tache sur ma robe avec une serviette de papier le mieux possible, en espérant qu'il ne remarquerait rien.

Évidemment, il a remarqué. Il a arraché la serviette de papier et a dit à tout le monde que j'étais l'enfant la plus sale et la plus dégoûtante du monde, et que je devrais porter un bavoir en permanence. Il en rajoutait, encore et encore. Puis, il a accroché une immense serviette autour de mon cou et a dit: «Voilà, c'est mieux!» et tout le monde s'est mis à rire.

J'ai couru dans la salle de bains, j'ai enlevé la serviette, me suis assise par terre, et ai écouté le party qui continuait sans moi. Une fois sûre que tout le monde était parti, je suis descendue doucement, mais il n'y avait plus de ballons ni de lumières féeriques et il ne restait plus aucune trace de ma fête. Je n'ai plus jamais voulu qu'on m'organise de fête, et je n'ai jamais été invitée à celle de quelqu'un d'autre.

Ce sera différent ce soir, me dis-je. Ce soir, je vais passer un merveilleux moment.

Je me dirige vers la salle des fêtes de la ville, et j'aperçois Cath qui s'est fait conduire par son père.

- Hé, attends-moi! je lui crie.

- Tu as réussi à venir! me dit-elle d'un ton joyeux, avant de me rejoindre et de me serrer délicatement dans ses bras.

- Tu es super belle!

Elle l'est vraiment. Sa robe est chic et luxueuse, elle a enfilé des chaussures à talons, porte à l'épaule un petit sac assorti, et ses cheveux sont magnifiquement bouclés et remontés en chignon.

- Habillée pour faire tourner les têtes! me dit-elle en tendant le cou, cherchant quelqu'un du regard.

- Tu cherches Abi?

- Elle ne peut pas venir, elle devait aller chez sa tante. Elle était super fâchée, me répond-elle en passant son bras sous le mien. Tant pis, tu es bien plus drôle. Allez, viens.

Cath me tire à l'intérieur et nous nous faufilons jusqu'au-devant de la salle. Nous faisons les folles et rigolons en inventant des chorégraphies sur la musique, mais je remarque plusieurs fois qu'elle continue de regarder autour d'elle, cherchant quelqu'un. J'aperçois JP qui est en train de discuter et de rire avec un groupe d'amis, et, au bout d'un moment, il vient vers nous.

- Tu aurais pu faire un effort, lance-t-il à Cath.

- Va te faire voir, JP, lui répond-elle.

- C'est quoi, le nom de cette petite demoiselle, alors? demande-t-il en me regardant de haut en bas.

Il me lance son mignon petit sourire de côté et, tout à coup, je sens des papillons naître dans mon ventre.

- Elle, Elle Smith, je lui réponds en me glissant une mèche de cheveux derrière l'oreille et en lui rendant son sourire.

- Alors, Elle-Elle Smith, me dit-il d'un air sérieux, quand as-tu pris l'habitude de te laver les cheveux au Crush orange?

Il me faut une seconde pour me rendre compte de ce qu'il vient de dire, et un vent glacial balaie les papillons dans mon ventre.

Je suis sur le point de lui répondre quelque chose de pas très poli quand, à ma grande surprise, je vois Grace s'avancer sur la scène avec Ryan et deux autres garçons. Ma mâchoire tombe tandis qu'ils se font acclamer, applaudir et siffler.

Grace coince son violon sous son menton quand, tout à coup, elle m'aperçoit. D'abord surprise, elle me fait ensuite un tout petit geste de la main.

- Soyons honnêtes, Elle, tu n'es pas aussi belle et cool que ta sœur, hein? déclare JP en faisant un mouvement de tête en direction de Grace.

- Ta sœur? fait Cath, son regard passant de Grace à moi.

- Ouais, la Reine des glaces, là-bas, au crincrin, dit-il. La «Fille qui n'a pas de cordes vocales».

Cath me fait face.

- C'est ta sœur?

Pendant une toute petite seconde, j'hésite, puis je prends une grande respiration et je dis bien fort et bien clairement:

- Ouais, c'est ma sœur. Grace.

Je me tourne vers JP.

- Et ne te moque plus jamais d'elle.

JP ricane.

- Ouuuuh, tu me fais peur, microbe!

Comment ai-je pu apprécier ce gars, ne serait-ce qu'un instant?

- Attends un peu, reprend Cath, tu m'as dit que tu ne la connaissais pas!

- C'était parce que tu aimes bien Ryan, je lui lance.

JP pouffe de rire en se moquant de nous et Cath devient rouge de colère.

- Ce n'est même pas vrai! proteste-t-elle furieu-sement.

- Bien sûr que c'est vrai, tu n'arrêtes pas de parler de lui, mais ce n'est pas ma faute s'il préfère Grace.

- Eh bien, ne t'imagine pas que tu vas continuer à te tenir avec moi et mes amies, à partir de maintenant! me rétorque Cath avec colère.

- Parfait! je lui réponds d'un ton brusque. Ça m'est bien égal.

J'ai beau être furieuse, je sais que ce n'est pas vrai. Ça ne m'est pas égal du tout.

- Et je n'en ai rien à faire si ton père est un acteur connu et ta mère, une écrivaine géniale, c'est fini pour toi, Elle!

- Ça, c'est ce que tu crois. Tu ne me connais pas bien!

- Combaaaat! fait JP, savourant la dispute.

Cath n'écoute plus. Elle pivote sur ses talons et s'en va dans un froufrou.

- Vas-y, microbe, c'est le moment de la gifler!

- Fiche-moi la paix!

Je suis tellement en colère que je me prépare à partir, moi aussi, mais tout le monde s'avance vers la scène pour écouter la musique. Je me fais entraîner et je ne peux plus bouger. Le groupe commence à jouer, et je me calme, petit à petit. Je me rends compte que, avec Grace au violon, ils sont incroyables. Ryan la regarde en souriant pendant tout le concert, et les deux autres ont l'air aux anges. Le bassiste, un peu trop excité, perd l'équilibre et tombe de la scène, mais le public pense que ça fait partie du spectacle et l'acclame quand il remonte. Du coup, il recommence, encore et encore.

Ils jouent sans s'arrêter pendant trois quarts d'heure. Ma colère a eu le temps de s'évanouir, et tout le monde danse. Même le concierge chauve secoue la tête vigoureusement, balançant ses mèches imaginaires d'avant en arrière.

Quand ils s'arrêtent enfin, Ryan hurle: «Merci, et bonsoir!» et ils sortent de la scène en courant comme des vedettes pop. Tout le monde exige un rappel et j'entends des gens demander qui était «cette fille». Tout au fond de la salle, je repère Cath, appuyée contre le mur, l'air de mauvaise humeur et les bras croisés. JP se glisse à côté d'elle et passe son bras autour de sa taille; elle ne le repousse pas.

Je sais que j'ai fait ce qu'il fallait et je suis contente d'avoir dit ce que j'ai dit. Je ne suis même plus fâchée, et pourtant je me sens triste et sans énergie. Une fois de plus, quelqu'un a enlevé les lumières féeriques et a crevé les ballons. J'ai juste envie de rentrer à la caravane, tout de suite.

CHAPITRE 28

⫸ Grâce ⫷

Ryan nous raccompagne à la maison. Ellie est complètement silencieuse. Comme il ne l'a encore jamais rencontrée, je crois qu'il pense simplement qu'elle est comme moi, alors il parle pour nous trois. Il est plein d'enthousiasme et essaie de me convaincre de jouer encore avec eux. Il m'explique que nous pourrions même passer les auditions pour le Festival de la plage, qui aura lieu le mois prochain. Jusqu'à maintenant, il n'a pas osé inscrire les Dégâts. Il pense que si je joue avec eux, nous avons de bonnes chances d'être sélectionnés.

Nous prenons le raccourci qui passe par la clairière aux pierres, ce que je n'aurais jamais pensé faire une fois la nuit tombée si j'avais été seule ou seulement avec Ellie. Mais, avec Ryan entre nous deux, je me sens en sécurité.

La lune sort de derrière les nuages, et les roches sont tout à coup baignées dans sa lumière pâle. Une légère brume blanche s'élève du sol, comme s'il respirait, et brouille les contours des pierres. L'espace d'un instant, j'imagine le groupe de jeunes filles libérées par magie de leurs prisons de pierre, hébétées d'avoir tout à coup retrouvé leur forme humaine.

Nous arrivons à la caravane et, heureusement, maman n'est pas encore rentrée du café, où se déroule la réunion des pêcheurs. Ellie se précipite à l'intérieur. Je sais que quelque chose ne va pas, parce qu'elle n'a pas dit un mot, à la salle des fêtes, quand je lui ai expliqué que nous devrions rentrer. Je pensais qu'elle allait faire des histoires parce qu'il était trop tôt, pourtant elle s'est dépêchée d'aller chercher sa veste, comme si elle avait hâte de partir. Elle n'a même pas dit au revoir à ses amies.

– Grace, me dit Ryan alors que je suis sur le point de suivre Ellie dans la caravane.

Je m'arrête et me retourne. Il a un morceau de papier à la main. Intriguée, je le prends.

– Je voulais te donner ça plus tôt, ajoute-t-il. Un des jumeaux l'a trouvé dans la cuisine, c'est sûrement tombé de la poche de ton cardigan.

Je regarde le papier plié d'un air vide, et suis horrifiée quand je me rends compte tout à coup que c'est la liste que j'ai écrite sur Ryan. Je suis si gênée que la peau me picote. Pitié, faites qu'il ne l'ait pas lue, je prie en silence. Pitié ! Je me couvre le visage de la main, mais il a deviné mes pensées.

– Je mentirais si je te disais que je ne l'ai pas lu. Henri m'a assuré que c'était à moi parce qu'il avait vu mon nom en haut. Alors j'ai voulu mettre les choses au clair.

Morte de honte, je déplie le papier et m'aperçois que, sous chaque point de ma stupide liste, il a ajouté des commentaires au feutre noir.

Ryan

Tu es drôle.

Seulement parce que je veux te faire sourire.

Tu me défends.

Il faut bien que quelqu'un tienne tête au vieux dragon.

Tu es attentionné.

C'est juste que je pense à toi tout le temps.

Gentil.

J'ai un problème de personnalité incurable qui me pousse à toujours aider les:

— *petits animaux à fourrure;*

— *petits frères (j'ai placé une annonce en ligne pour les vendre, mais personne n'en veut);*

— *vieilles dames qui s'apprêtent à traverser la rue, qu'elles veuillent de mon aide ou pas.*

Je commence une thérapie très bientôt.

Vraiment intelligent.

Là, ce n'est clairement pas de moi qu'on parle.

Mais est-ce que c'est authentique, tout ça?

Tout à fait authentique, alors tu n'as absolument pas à avoir peur de moi.

– Je n'ai absolument pas peur de toi! dit une voix. J'adore être avec toi.

Nous nous regardons tous les deux, secoués, et je me rends compte que, cette voix, c'est la mienne! Ryan ne pensait pas que j'allais me mettre à parler. Et moi non plus! Les mots sont simplement sortis de mes lèvres, aussi facilement que l'air que je respire. Ryan essaie de parler, mais c'est lui, maintenant, qui est muet, incapable de trouver ses mots.

Pour finir, il prend une grande respiration, hausse les épaules, sourit et se penche vers moi pour m'embrasser doucement sur la joue. Et puis il fait demi-tour et traverse le camping à toute vitesse en se dirigeant vers la plage. Ellie apparaît dans le cadre de la porte de la caravane.

– Alors, qu'est-ce que tu en penses, tu crois qu'il t'aime bien ? fait-elle en levant les yeux au ciel.

– Moi aussi, je crois que je l'aime bien, je réponds doucement.

– Grace Smith, mais qu'est-ce qui t'arrive ?

Je sens un frisson à l'intérieur de moi.

– Je suis en train de me réveiller.

Et tout à coup, je vois l'image d'une des Jeunes Filles, ramenée à la vie, libre de respirer, de bouger, de danser de nouveau.

– On dirait plutôt que tu es en train de craquer, me réplique Ellie. Mais, bon, je dois admettre que tu étais vraiment bonne, ce soir. Honnêtement, sans toi, ç'aurait été à peine moyen.

– Qu'est-ce que tu en penses, alors ? Tu crois que je devrais faire partie du groupe ?

Elle hausse les épaules doucement.

– Qu'est-ce qu'il y a, Ellie ?

– Rien, me répond-elle avec un gros sourire forcé. Je suis absolument folle de joie.

– Tu sais que tu peux m'en parler.

– Non, je ne peux pas. Gracinette, même si tout va mal, tout est arrangé, OK ?

– Euh, j'imagine, oui, je lui réponds, sans bien comprendre.

J'ai perdu Ryan de vue dans l'obscurité. Quelques secondes plus tard, j'entends un cri de joie qui vient de la plage, et je sais que c'est lui. Je serre ma liste dans ma main et je suis Ellie à l'intérieur avec un sourire radieux. J'ai l'impression que tout a changé.

CHAPITRE 29

❦ Ellie ❦

Je redoute d'aller à l'école aujourd'hui, parce que je vais devoir me retrouver face à Cath, Abi et les autres filles. Et puis, tout à coup, je me dis avec tristesse que je ne vais peut-être même pas me retrouver face à face avec elles. Elles vont peut-être simplement me tourner le dos et m'ignorer, et je serai de nouveau toute seule, comme dans mon autre école. J'essaie de ne pas y penser en marchant, tête baissée, vers ma classe.

Abi, Rose, Stéphanie et Florence accourent vers moi. Mon cœur accélère. Est-ce qu'elles vont s'en prendre à moi? Ce serait sans doute encore pire que de me faire ignorer.

— Tu l'as eu! me crie Rose, tandis que Stéphanie et Florence essaient de me serrer dans leurs bras.

Je les regarde sans comprendre.

— Nicol la Folle t'a choisie, toi! piaille Stéphanie, tout excitée.

— Choisie pour quoi?

— Voyons, pour le rôle de princesse Caraboo, bien sûr! me rétorque Abi.

— Mais... Et Cath? je demande, mon esprit clignotant d'excitation, alors que je m'autorise à envisager, pendant un instant, que je pourrais jouer le rôle principal.

— Oh, elle a obtenu le rôle de la maîtresse du manoir, me répond Florence.

— Mais...

— Mais tout va bien, Elle. Quel est le problème, que quelqu'un d'autre soit la vedette, pour une fois? ajoute Florence avec une pointe de méchanceté dans la voix. De toute façon, tu étais *infiniment* meilleure qu'elle!

Mon cœur fait un bond dans ma poitrine.

— Vraiment, tu trouves?

— Tout à fait. Tu es une actrice-née.

— Ah bon?

— Mais oui, insiste Rose, tu étais absolument merveilleuse.

Je me sens rayonner. D'autres élèves de la classe s'approchent et nous entourent. Tout le monde me regarde et me dit à quel point je suis bonne. Je suis totalement aux anges.

— Je parie que tu vas finir actrice, comme ton père, me lance Stéphanie.

Cette mention de mon père me fait retomber les deux pieds sur terre.

— Ça m'étonnerait, je marmonne, me sentant coupable.

- Il faut admettre que vous avez tous du talent, dans ta famille, continue Rose. Daisy Millaire m'a dit que la nouvelle, dans le groupe de Ryan, c'est ta sœur!

- Pas étonnant que tu n'aies pas voulu parler d'elle à Cath! fait Abi avec un petit sursaut.

- Moi non plus, je ne l'aurais pas dit, ajoute Florence en faisant un petit bruit de gorge. Ça fait des années que Cath a le béguin pour lui.

- Alors, ils sortent ensemble ou ils sont juste dans le même groupe?

- Euh... Je ne sais pas.

- Cath ne va pas aimer ça, de toute façon, reprend Rose.

- Oh, mais arrête, Rose! On s'en fiche, que ça lui plaise ou pas! Pourquoi devrait-elle être tout le temps au centre de l'attention? demande Florence. En tout cas, moi, je trouve que ta sœur est géniale. Le groupe de Ryan était nul, avant.

- Même si, *lui*, il est vraiment trop beau! conclut Stéphanie dans un soupir amoureux.

Un silence gêné s'installe soudain quand Cath entre dans la classe.

- Salut, fait Abi.

- Elle va être la princesse Caraboo, lui annonce Florence.

Cath se colle un sourire sur le visage.

- Vraiment, dit-elle en rejetant ses longs cheveux bruns derrière son épaule comme si elle n'en avait rien à faire. Tu vas être super.

- Merci.

Je lui souris aussi, pourtant il y a maintenant un solide mur de glace entre nous. Abi et Florence le remarquent tout de suite et se lancent des regards, sans commenter. Dans les minutes qui suivent, Cath me regarde du coin de l'œil au moins deux fois, comme pour essayer de comprendre quelle est ma position dans tout cela.

En cours d'anglais, elle ne vient pas s'asseoir à côté de moi comme d'habitude, elle traîne plutôt dans le couloir et parle avec JP. Stéphanie et Florence se précipitent pour prendre la place libre à côté de moi. Florence gagne, mais promet à Stéphanie qu'elle la laissera s'asseoir avec moi pendant le cours de maths. Cath nous jette un œil pendant que JP lui dit d'aller «poser ses grosses fesses» sur un banc devant la cafétéria pendant la pause du dîner et de l'attendre là. Au lieu de l'envoyer balader, comme je croyais qu'elle allait le faire, elle ne lui répond rien et se contente de hocher la tête.

CHAPITRE 30

≫ Grâce ≪

Je ne pensais pas vivre une journée d'école différente des autres, aujourd'hui, mais dès que je pose le pied en classe, j'ai l'impression d'être entrée dans un univers parallèle.

– Tu étais géniale! s'extasie Daisy Millaire. C'est la première fois qu'elle ne me regarde pas comme si je venais de sortir d'une grotte.

– J'ai demandé à ma mère de réserver les Dégâts pour mon party, mais seulement si tu joues avec eux, m'annonce son amie Annabelle. Tu vas jouer avec eux, n'est-ce pas?

À l'autre bout de la classe, je vois Ryan me regarder. Je souris à Annabelle en hochant la tête, et un énorme sourire de soulagement s'étale sur son visage. Je sens dans mon ventre une impression de papillons étrange mais délicieuse.

– Ouiiii, se met-il à crier alors que mademoiselle Tardif entre dans la pièce. Oui! Oui! Oui et re-oui!

– Ryan, arrêtez de gigoter comme un idiot! lui ordonne-t-elle joyeusement.

– Oui, mademoiselle Tardif, tout de suite, mademoiselle Tardif.

– Baxter, faites-vous de la fièvre?

– Non, mademoiselle Tardif, je suis simplement heureux.

– J'en suis ravie pour vous. Est-ce que cela a quelque chose à voir avec votre performance de samedi dernier à la salle des fêtes ?

– Ils étaient teeeeellement cool ! crie une des filles.

– Refrénez votre enthousiasme, Geneviève, c'est affreusement anormal.

– Mais vous auriez dû les entendre !

– Je vis à deux pas de la salle des fêtes. Je ne risquais pas de les rater.

– Alors, qu'en avez-vous pensé, mademoiselle ? C'était super, non ?

– Je dois admettre que j'étais agréablement surprise. Ce n'était pas l'espèce de cacophonie à réveiller les morts que Ryan et ses camarades nous imposent habituellement, c'était... de la musique.

– C'est Grace qui jouait du violon !

– Vraiment ! Eh bien, mademoiselle Smith, je vais prévenir monsieur Brisson. Il va sans doute vous recruter dans l'orchestre de l'école, où votre incroyable talent sera certainement plus productif.

Je la regarde, inquiète, mais je vois alors Ryan me sourire et je me détends. Je me rends compte que ça m'est bien égal qu'ils me fassent jouer dans l'orchestre. Ça pourrait même être amusant.

À ma grande joie, mademoiselle Tardif passe directement à des sujets scolaires et m'ignore complètement pendant tout le reste du cours. Ryan et moi partons ensuite à notre prochain cours et, pendant le trajet, je lui parle... Je lui parle tout bas, et seulement quand il n'y a personne autour, mais je lui parle ! Nous parlons. Notre conversation démarre lentement, c'est hésitant et un peu étrange, au début. Nous nous renvoyons des mots l'un l'autre, comme des enfants qui jouent ensemble au ping-pong pour la première fois. Nous sommes tous les deux aussi nerveux. Rapidement, ça devient plus facile et, même si je ne lui parle pas du tout de papa, au bout d'un moment j'ai l'impression que nous sommes de vieux amis qui viennent de se retrouver après des années. Et je n'ai jamais été aussi heureuse.

Pendant l'heure du dîner, Ellie me retrouve alors que je sors des toilettes.

– Grace, devine quoi ! me dit-elle d'un ton insistant.

– Qu'est-ce qui se passe ?

– Je suis la princesse Caraboo !

– Quoi ?

– La pièce de théâtre de l'école ! J'ai passé les auditions. J'ai obtenu le rôle principal, princesse Caraboo ! Je vais à la première répétition dans cinq minutes ! me lance-t-elle, tout excitée.

– C'est fantastique !

– Et je dois répéter encore ce soir, alors ne m'attends pas, je te retrouverai à la maison.

– Je, euh... je vais peut-être aller chez Ryan, d'abord, mais je serai à la maison avant que maman revienne, je lui explique en me demandant comment elle va réagir.

– Oh, OK.

Je n'aurais pas dû m'inquiéter, elle est bien trop excitée par sa pièce pour vraiment penser à ce que je viens de lui dire.

– Et bravo, franchement. Je te souhaite bonne chance!

Elle se retourne pour partir, et je vois son amie Cath nous regarder toutes les deux. Elle est assise avec JP, et celui-ci lui chuchote à l'oreille. Je m'attends à ce qu'elle parle à Ellie ou aille la rejoindre. À ma grande surprise, Cath l'ignore complètement quand Ellie la dépasse.

Puis Cath se lève pour partir, et JP essaie de la retenir, mais elle émet un petit rire, se libère et s'élance dans le couloir vers l'amphithéâtre. JP me jette un coup d'œil.

– Tout va bien, Reine des glaces? me demande-t-il. T'as pas changé d'avis, tu ne veux toujours pas sortir avec moi? T'as qu'un mot à dire.

Je me retourne et me dépêche de partir.

CHAPITRE 31

Ellie

Je découvre rapidement que Nicol la Folle n'est pas aussi folle qu'elle en a l'air. Elle nous fait quand même travailler comme des galériens.

- OK, vous tous, écoutez-moi bien, hurle-t-elle. Votre première représentation a lieu dans seulement quelques semaines. Nous allons répéter presque chaque jour après les cours. Je veux que vous appreniez tous vos répliques pour lundi prochain. Je ne tolérerai aucune excuse. Si ça ne vous plaît pas, vous partez *maintenant*, et vous ne me faites pas perdre mon temps !

Elle tend le bras vers la porte de façon très mélodramatique, comme si nous allions nous mettre à courir en troupeau pour sortir de la pièce. Personne ne bouge.

- Bon. Vous avez peut-être des âmes sensibles d'adolescents dans de jeunes corps, mais, quand vous êtes dans cet amphithéâtre, vous êtes des acteurs professionnels. Parce que quand le grand moment arrivera et que vous monterez sur cette scène pour jouer de tous vos petits cœurs, je veux que le public vous adore, qu'il vous admire... pas qu'il pouffe de rire. OK. On y va.

Pendant les trois quarts d'heure qui suivent, nous nous donnons à fond pendant que madame Nicol tape du pied, nous donne des ordres et hurle comme la plus grande diva du monde.

Je redoute toutes les scènes que je dois jouer avec Cath. La rumeur court que nous nous sommes disputées et que nous ne nous parlons plus. Je rentre dans mon rôle, oubliant que je ne suis qu'Ellie Smith qui fait la comédienne dans une pauvre pièce scolaire, et la tension s'accumule entre nous. Quand nous atteignons le moment fort de notre grande scène, ce moment où la maîtresse du manoir accuse la princesse Caraboo d'être une menteuse et que celle-ci se défend de toutes ses forces, l'ambiance dans la salle est électrique et je me rends soudain compte que je tremble réellement. À la fin, tout le monde se met spontanément à applaudir et même Nicol la Folle s'extasie.

- C'était phénoménal, les filles ! Incroyable ! Elle, tu as vraiment maîtrisé cette scène, commente-t-elle, comme si nous étions dans une émission de talents à la télévision. Si vous continuez comme ça, cette pièce sera la meilleure que l'école ait jamais produite. Et si elle est vraiment aussi incroyable, on ira la présenter au Festival de théâtre l'automne prochain. Et je suis sûre qu'on en reviendra avec un gros trophée !

Ses compliments me font rayonner, et je remarque l'expression sur le visage de Cath, ainsi que l'éclat qui brille dans ses yeux. Nous ne sommes peut-être plus amies, me dis-je avec amertume, mais le fait d'être ennemies a ses avantages...

J'adore chaque moment que je passe sur scène, et je suis affreusement déçue que la répétition se termine si vite. Madame Nicol nous annonce que c'est tout pour aujourd'hui et qu'il est temps de retourner en classe, et Cath se remet à m'ignorer complètement, comme si j'étais invisible. Elle passe tout droit devant moi en faisant signe à JP qui l'attend à la porte de l'amphithéâtre.

- Tu valais pas de la crotte de chien! lui lance-t-il bien fort, afin que tout le monde l'entende.

Elle rougit et le regarde fixement, gênée.

- C'était une blague, fait-il en passant ses bras autour d'elle, mais son visage ne reflète pas ses propos.

Je me rends compte qu'il a apprécié la voir mal à l'aise.

Pendant un moment, il me rappelle papa.

Il pose son bras sur l'épaule de Cath et la tient fermement serrée contre lui et, tandis qu'ils s'éloignent dans le couloir, je me dis soudain que je devrais dire quelque chose, la prévenir. Mais nous ne sommes plus amies. Officiellement, nous sommes censées nous détester. Alors je me tais, pas un mot. De toute façon, qu'est-ce que j'aurais pu lui dire? «Cath, fais attention, JP ressemble à mon père»?

Je ne lui ai jamais avoué comment mon père est réellement, je ne l'ai dit à personne et n'ai aucune envie de le faire, alors elle ne pourrait pas comprendre de quoi je serais en train de lui parler.

Elle est en retard en cours, mais elle invente une excuse et prétend qu'elle a dû parler à un autre professeur. Quand elle passe devant moi pour aller s'asseoir plus loin, elle se penche légèrement et me chuchote froidement un seul mot.

  - Menteuse.

CHAPITRE 32

⫸ Grâce ⫷

J'attrape Ellie après les cours, alors qu'elle se dirige vers l'amphithéâtre pour sa deuxième répétition de la pièce.

– Comment ça se passe, alors ?

– Super bien, me répond-elle en lançant un regard méfiant à Cath, quelques mètres devant elle.

– Tu veux que je reste un peu ? je propose en essayant de dissimuler mon inquiétude de grande sœur.

– Mais non, arrête, me rétorque-t-elle. Je te retrouve à la maison.

Elle court et entre dans l'amphithéâtre. Deux filles se précipitent vers elle et elles se mettent toutes les trois à bavarder avec excitation. Cath reste en arrière, appuyée de l'autre côté de la scène, et regarde Ellie avec des couteaux dans les yeux. Je suis en train de me demander ce qui s'est passé entre elles quand Ryan arrive près de moi.

– Tu es prête ? me demande-t-il.

Je hoche la tête.

– Allons-y, je chuchote en jetant un regard en direction d'Ellie, qui rigole tellement avec ses amies qu'elle en a oublié que j'étais là.

Sur le chemin pour aller chez lui, Ryan me parle du Festival de la plage.

– Il va y avoir des feux d'artifice, et environ huit groupes de musique, peut-être même un ou deux très connus. Ça a lieu chaque année, au profit du centre de sauvetage en mer. Papa travaillait là-bas, avant.

Il se tait un moment.

– Il a sauvé un homme de la noyade, un jour, ajoute-t-il doucement.

– Est-ce que... Est-ce que c'est comme ça qu'il s'est retrouvé en fauteuil roulant ?

– Non, me répond-il, et son visage s'assombrit. Il est malade. Il a la SP.

Je le regarde.

– La sclérose en plaques. C'est une affreuse maladie qui te paralyse doucement, de plus en plus, jusqu'à ce que tu ne puisses plus bouger.

– C'est affreux, Ryan, je suis tellement désolée.

– Enfin, bon, l'évolution est très lente, et parfois, on dirait même qu'il va mieux pendant quelque temps. Et puis ils inventent toujours de nouveaux traitements, hein ? Il y a les cellules souches, des choses comme ça, alors tout n'est pas perdu d'avance. Je voudrais vraiment faire quelque chose pour qu'il soit fier de moi et, tout ce que je vois, c'est le groupe...

– Ryan, il est déjà fier de toi, lui dis-je en lui serrant gentiment le bras. Mais je te promets de jouer au festival, si on passe les auditions.

– Merci, Grace, tu ne peux pas imaginer ce que ça représente pour moi... Les auditions commencent la semaine prochaine, alors nous aurons un peu de temps pour répéter.

Alors que nous tournons dans sa rue, nous voyons son père avancer dans son fauteuil sur le trottoir devant nous. Les jumeaux, en uniforme scolaire et portant leurs sacs d'école, sont assis et gigotent sur ses genoux. L'un d'eux se retourne et nous voit, et le père de Ryan fait sonner le klaxon accroché à son fauteuil. Arrivés au portail, les jumeaux sautent sur le sol et se dépêchent d'installer une petite rampe pour donner accès à la porte d'entrée. Leur père manœuvre son fauteuil dans le jardin, passe l'enchevêtrement de vélos, de chariots et de planches, puis passe en douceur la porte de la maison.

– Bonjour, Grace! C'est toujours un plaisir de te voir!

– Bonjour, monsieur Baxter, je lui réponds, lui parlant enfin.

– Eh bien, entrez donc, ajoute-t-il. Mets du lait à chauffer, Ryan, mon grand!

Nous entrons et il nous prépare du chocolat chaud, pendant que Ryan et moi empilons des tas de rôties à la confiture pour les jumeaux, qui sont affamés. Une fois toutes les rôties mangées et les tasses de chocolat chaud vidées, le père de Ryan nous demande d'emmener Henri et Tom jouer à la plage pendant un moment. Les petits garçons veulent tous les deux porter le ballon de soccer, et on évite de justesse une bagarre, grâce à Ryan qui suggère que je sois la responsable du ballon.

Nous arrivons à la plage et, à mon grand désespoir, les jumeaux veulent que je fasse équipe avec eux, contre Ryan.

– Mais je ne sais pas jouer au soccer!

– Ne t'inquiète pas, me chuchote Ryan, ça n'a aucune importance.

Et, en effet, ça n'en a pas. Nous courons après le ballon, nous poussons et roulons sur le sable comme une portée de chiots qui se chamaillent. Je me retrouve allongée par terre à rire si fort que je n'arrive pas à me dégager de Henri, qui s'est assis sur mes pieds.

– Tu peux être notre sœur, si tu veux, me propose-t-il, tout timide. Ou bien... tu peux être notre maman.

– Elle n'est pas assez vieille pour être notre maman, nono! lui lance Tom. De toute façon, si notre vraie maman revenait, elle aurait de la peine qu'on en ait trouvé une autre.

– Elle ne va pas revenir, jette Henri d'un ton farouche.

– Peut-être que oui.

– Non, elle a dit qu'elle ne reviendrait pas.

– OK, qui a faim? les interrompt Ryan en me jetant un regard.

– Moi! répondent les jumeaux en chœur.

– Le dernier à la maison est une baleine échouée! crie Ryan, et nous partons tous en courant dans le sable.

Les jumeaux rient et Ryan les poursuit en rugissant comme un monstre marin, et je me rends compte pour la première fois de ma vie que je ne suis pas la seule au monde à garder des secrets.

CHAPITRE 33

❦ Ellie ❦

L'insulte de Cath, « menteuse », me résonne dans les oreilles, et je me sens très mal à l'aise en partant vers l'amphithéâtre, après les cours, pour la répétition. Je fais comme s'il n'y avait aucun problème, mais je la sens m'observer et, quand je monte sur scène, je me mets à bégayer et à trébucher sur mes répliques. J'ai vraiment du mal à la regarder dans les yeux et je me demande nerveusement ce qu'elle a découvert sur moi.

Nicol la Folle nous arrête en pleine scène et me demande, déçue, ce qui se passe.

- Rien, madame, je lui réponds en jetant un regard vers Cath.

En voyant la suffisance étalée sur le visage de Cath, ma forme revient. Tout à coup, je me sens stimulée. Il n'est pas question que je la laisse me mettre à terre, me dis-je dans une attitude de défi. Elle ne va sûrement pas gâcher la meilleure chose qui me soit arrivée dans ma vie.

- Est-ce qu'on peut juste refaire cette scène?

- Je pense qu'il vaut mieux, oui, me répond madame Nicol. Et, par pitié, refais-nous vivre la princesse Caraboo qu'on a vue lors de la première répétition, hein?

- Oui, madame.

Je joue à nouveau la scène, comme si ma vie en dépendait. Au bout de quelques répliques, je n'ai plus peur et j'ai du mal à contenir mon énergie.

- Bien meilleur, Elle! Fantastique! me lâche madame Nicol après la scène.

Secrètement, je pousse un soupir de soulagement en me rendant compte que je n'ai pas à m'inquiéter. Personne ne peut m'arrêter. Pas même Cath.

Madame Nicol nous fait travailler comme des fous pendant presque deux heures et, au moment où le concierge de l'école arrive dans l'amphithéâtre pour laver le sol et fermer, nous avons répété la pièce entière. Nous devrions être tous morts de fatigue, mais il y a une drôle d'énergie dans la salle: nous sommes tous pleins d'adréna-line et jacassons avec excitation. Madame Nicol nous répète en criant que nous devons apprendre toutes nos répliques pour la semaine prochaine et nous menace d'atrocités pires que la mort si nous ne le faisons pas. Tout le monde a hâte de s'y mettre et fait des plans pour se retrouver et répéter ensemble les répliques et les scènes. Tout le monde, sauf Cath et moi. À un moment, on dirait qu'elle a envie de me parler, mais je me dépêche de prendre mes affaires et je m'en vais.

Alors que j'avance le long du chemin de pierres, pour rentrer à la maison, j'entends quelqu'un m'appeler. Je me retourne et vois Cath s'avancer vers moi. Il est trop tard pour l'éviter, alors je m'arrête.

Cath me regarde pendant une seconde, puis m'assène d'une voix posée:

- Tu n'es vraiment qu'une sale menteuse, Elle, n'est-ce pas?

- Comment ça? je lui demande nerveusement, pour gagner du temps.

- Tu as dit que tu allais emménager dans la grande maison sur la colline, mais ce n'est pas vrai. Tu ne peux pas y emménager. JP habite dans cette rue, et il m'a raconté qu'une autre famille y avait déjà emménagé.

Je réfléchis à la vitesse de l'éclair.

- Papa avait fait une offre, mais quelqu'un a dû en faire une meilleure.

- Mouais...

Elle me fixe.

- Qu'est-ce que tu as inventé d'autre, alors? me demande-t-elle avec un air mauvais.

- Rien...

- Je ne te crois pas. Je vais dire à tout le monde que tu es une sale menteuse. On va voir ce qu'Abi et les autres vont penser de toi, tiens!

Mon cœur se met à battre plus fort quand je scrute le visage de Cath. Elle pense vraiment ce qu'elle est en train de dire.

- Plus personne ne va te trouver si géniale, hein? Pas quand ils vont savoir la vérité sur toi.

Un peu plus loin, je vois Suzanne, qui me fait signe de la main. Mon cœur s'arrête.

- Je dois y aller.

- Oh là là, maman va être fâchée, sinon? se moque Cath en lançant un regard glacial en direction de Suzanne.

Un sourire arrogant s'étale sur son visage.

- Elle ne ressemble pas du tout à une écrivaine. Encore des mensonges, Elle?

Cath se dirige droit vers Suzanne et je crois mourir.

- Est-ce que vous êtes écrivaine, alors? demande Cath à Suzanne de façon très grossière.

- Euh... Eh bien, oui, lui répond Suzanne, l'air légèrement déconcertée.

Cath est surprise et hésite un peu avant d'ajouter:

- Vous écrivez des *vrais* livres?

- Eh bien, je ne sais pas ce que tu veux dire par là, mais j'écris des livres, et ils sont publiés, en tout cas, lui rétorque Suzanne.

Elle me jette un coup d'œil, puis regarde Cath, et nous demande:

- Vous êtes amies, toutes les deux?

- Sûrement pas! aboie Cath avant de tourner les talons et de s'en aller.

- Je suis désolée de tout ça, dis-je à Suzanne en frissonnant de m'en être sortie de justesse.

- Ce n'est pas ta faute, me rassure-t-elle en me regardant curieusement pendant quelques secondes. Et comment avance ton histoire? ajoute-t-elle tranquillement.

- Bien, je mens. Mais c'est seulement un conte de fées... et ce n'est qu'une histoire pour enfants.

- Oh, ça, ce n'est pas sûr! La plupart des contes de fées sont vraiment terrifiants, quand on les analyse bien.

Elle m'observe, puis ajoute d'un air sérieux:

- Souvent, ils racontent la vie de gens qui doivent tenir tête à quelqu'un d'effrayant, comme on doit souvent le faire dans la vraie vie.

Je sais qu'elle pense à Cath. Tout à coup, ce n'est plus à Cath que je pense, mais à papa et à la façon dont il nous maltraitait, maman, Grace et moi.

- Je dois y aller, lui dis-je, mal à l'aise.

- OK. Mais si un jour, tu as besoin de discuter, que ce soit de ton histoire, des amis ou d'autre chose, tu sais où me trouver.

- Merci, je lui réponds avant de partir en courant jusqu'à la maison.

Les histoires et la vraie vie sont des choses complètement différentes. Quand on les mélange, comme je l'ai fait, tout devient bien trop compliqué. Il est trop tard, maintenant, pour que je puisse les séparer de nouveau et recommencer à dire la vérité. Je me suis enfoncée trop profondément dans les mensonges.

CHAPITRE 34

➺ Grâce ➻

J'arrive à la maison cinq minutes avant Ellie.

– Comment ça s'est passé?

Elle me regarde, le visage sans expression.

– La répétition!

– Oh, ça! Eh bien, ç'a très mal commencé, et puis ça s'est amélioré, et à la fin, on était vraiment extraordinaires. Papa avait teeeellement raison quand il m'appelait la *Drama Queen*! Moi, quand je joue un rôle, je peux te dire que je me donne à fond!

Elle étend les bras, se met à tourner dans la caravane et se cogne contre la petite table.

– Ouch! fait-elle en se frottant la hanche.

– Donc, ton amie Cath aussi joue dans la pièce? je lui demande avec désinvolture.

– Pourquoi est-ce que tout le monde pense qu'elle est mon amie? répond Ellie avec mépris.

– Mais vous étiez meilleures amies, la semaine dernière!

– Dans tes rêves! me réplique-t-elle en sortant du pain du réfrigérateur. Je croyais que c'était moi qui avais une folle imagination.

– Est-ce que c'est parce qu'elle sort avec JP?

– Oh non! Je suis même incroyablement heureuse pour eux. Ils sont faits l'un pour l'autre. Tu veux un sandwich au jambon et au fromage?

Elle rejette la tête en arrière et avance sa mâchoire. Du coup, je suis maintenant certaine que quelque chose la fâche. Je suis secrètement soulagée que ce ne soit pas elle qui sorte avec JP, mais je ne le lui avoue pas. Je change de sujet et nous préparons les sandwichs ensemble, pendant que je lui parle de la famille de Ryan et que je lui raconte que je suis décidée à passer les auditions avec le groupe pour le Festival de la plage.

– Tu seras tellement fantastique qu'ils vont en tomber sur les fesses!

– J'espère que non, c'est la job de Daniel quand il tombe de scène, ça! lui dis-je en rigolant. Ryan m'a expliqué que le groupe lui doit son nom. Quand le père de Ryan venait vérifier le garage, il demandait chaque fois: «Bon, qu'est-ce que vous avez fait comme dégâts, cette fois?» parce que Daniel cassait toujours quelque chose.

Nous nous installons confortablement sur le banc et commençons à manger.

– Tu vois ce bout de tissu rose à rayures, sur la courte-pointe? me demande Ellie, la bouche pleine. Grand-mère avait cousu des robes identiques à maman et à tante Anna pour un concert dans lequel elles chantaient. Elles devaient avoir l'air de jumelles.

– Que ça ne te donne pas d'idées, surtout! je plaisante.

– C'est vraiment dommage qu'elles ne se soient jamais beaucoup vues, fait Ellie, le visage tout à coup sérieux. Elles sont sœurs, quand même!

– Elles ont eu une grosse dispute, je lui explique d'une voix douce.

Ellie est surprise.

– Je croyais que c'était parce que papa avait exigé que maman ne voie plus tante Anna.

– C'est vrai qu'il lui a fait ça, mais j'ai entendu maman et tante Anna, il y a environ deux ans. Elles ne savaient pas que j'étais dans la cour de la maison avec Bruno. Tante Anna était en train de dire à maman qu'elle ne devait pas laisser papa la contrôler comme ça. Maman lui a répondu que les choses étaient compliquées et qu'elle n'avait pas à intervenir. Au bout de quelques minutes, elles se sont mises à se disputer, puis tante Anna s'est fâchée et est partie en furie.

– C'est affreux, dit Ellie en faisant une grimace.

Elle reste silencieuse pendant quelques secondes.

– On ne se disputerait jamais comme ça, hein, Grace ? Jamais, peu importe ce qui pourrait se passer, n'est-ce pas ?

– Bien sûr que non. Allez, viens, on va retrouver maman.

Nous passons la laisse à Bruno et partons pour le café sur la plage.

– Elle est en retard, elle devait finir à cinq heures, commente Ellie.

– Elle est probablement en train de préparer plein de pâtisseries, ou d'autres plats.

– Oh, des tartelettes au fromage et à l'oignon, par pitiéééééé ! supplie Ellie en joignant les mains.

Quand nous arrivons au café, tous les stores sont tirés.

– On dirait bien qu'elle est partie, dit Ellie en montant l'escalier de bois en courant.

Nous entrons dans le café. L'endroit a été transformé. Des guirlandes de petites lumières blanches féeriques clignotent partout, et au milieu de la pièce une seule table est dressée, avec une nappe en lin blanc, des couverts en argent brillants et des assiettes de porcelaine. Au centre de la table est posé un grand vase plein de fleurs fraîches.

– Où est maman? demande Ellie en remarquant Bill qui rôde près d'une fenêtre du café.

Au lieu de ses habituels vêtements miteux de pêcheur, il porte un tablier rayé par-dessus un costume et une cravate. Il fait un signe de tête en direction de la cuisine, tandis que maman apparaît derrière le comptoir.

– Alors, qu'est-ce que vous en dites? nous demande-t-elle, les yeux brillants.

– Qu'est-ce qui se passe? lui demande à son tour Ellie.

– C'est une surprise pour Daphné. Elle est sortie de l'hôpital hier. J'ai découvert que c'était leur cinquantième anniversaire de mariage la semaine dernière, et Stan voulait organiser quelque chose de spécial, mais il ne savait pas quoi, alors...

– Tout ça, c'est l'idée de votre mère, ajoute Bill en souriant.

– Ils arrivent! Vite! lance maman tout à coup.

Comme des enfants, nous nous précipitons tous vers des endroits où nous pourrons nous cacher, tandis que la porte du café s'ouvre en craquant.

CHAPITRE 35

❧ Ellie ❧

Je ne peux pas résister à l'envie de jeter un coup d'œil par-dessus le comptoir, mais maman me tire par le t-shirt.

- Ellie, baisse-toi! me chuchote-t-elle.

Je fais ce qu'elle me demande, bien que je veuille voir à quoi ressemble Daphné. Est-elle bizarre?

- Oh, Stanley! fait une voix de femme. C'est magnifique!

Ce doit être elle, mais sa voix est légère et un peu tremblante, et non dure et bourrue comme je m'y attendais.

- Bon sang de bonsoir..., murmure Stan.

- Bon anniversaire de mariage! lancent en chœur maman et Bill tandis que nous sortons tous de nos cachettes.

Je pensais voir une femme à l'aspect rustre, habillée d'une robe en grosse toile serrée par une ceinture en corde, un éclair de folie dans les yeux. Je vois plutôt une vieille dame fragile qui porte un tailleur de laine violet, ses cheveux gris enroulés en arrière.

- On dirait une Audrey Hepburn très âgée, me chuchote Grace.

Je ne sais absolument pas de qui elle parle.

Daphné sourit à maman.

- Vous devez être Karine, dit-elle chaleureusement.

- Bonjour, lui répond maman. J'espère que ça ne vous dérange pas que j'aie... enfin, je me suis dit... c'est que, cinquante ans, c'est vraiment très long...

- Merci, ma chère, c'est adorable de votre part.

Elle serre délicatement maman dans ses bras.

- Cinquante merveilleuses années... et tout ça grâce aux Jeunes Filles, n'est-ce pas, Stanley ? ajoute-t-elle en souriant à Stan.

- Les Jeunes Filles ? je questionne, me demandant si elle n'est pas réellement toquée, finalement. Qu'est-ce que vous voulez dire ?

- Il y a à peine plus de cinquante ans, une chaude nuit d'août, Stan et moi rentrions à pied d'un bal, où nous nous étions terriblement disputés...

- Elle ne voulait plus jamais me voir, plus jamais ! l'interrompt Stan.

- Et, juste au moment où nous arrivions dans le cercle de pierres, le ciel s'est déchiré et des grêlons se sont mis à tomber...

- Gros comme des petits pois ! Les saletés ! continue Stan. Droit sur nous.

- Nous nous sommes mis à courir pour nous abriter, et le seul abri, c'était cette cabane en bois, qui n'était pas un café, à l'époque. À l'intérieur, c'était vraiment délabré...

- C'était aussi infesté de souris et de rats, mais comme nous ne nous parlions plus, je ne l'ai pas dit à Daphné.

- Tant mieux. Donc, nous étions là, tremblants, à nous ignorer l'un l'autre...

- Le sol s'est effondré et nous sommes tombés sur le sable, juste là, ajoute Stan dans un petit rire en pointant du doigt le milieu de la pièce.

- Tout à coup, nous nous sommes mis à rire, et j'ai su que nous étions censés être ensemble, quoi qu'il arrive, le bon comme le mauvais.

- Nous nous sommes mariés, avons acheté cet endroit et en avons fait le meilleur petit café à des lieues à la ronde.

Daphné attrape la main de Stan et la serre bien fort.

- Et maintenant, il ne veut pas le vendre. Tu es un vieux fou, mais je ne voudrais pas que tu changes pour tout l'or du monde.

En faisant des courbettes, Bill montre leurs sièges à Stan et à Daphné. Maman nous appelle, Grace et moi, et nous l'aidons à apporter les plats sur la table. Maman s'est vraiment donné du mal. Il y a du poisson frais grillé, que Bill a réussi à attraper le matin même, des pommes de terre sautées, de la salade et un gâteau magnifiquement décoré, avec Joyeux 50e anniversaire écrit en lettres dorées sur le glaçage. Pendant que nous aidons maman et jouons les serveuses, j'observe Stan et Daphné bavarder et rire ensemble, et je me rends compte que, les belles histoires, ça existe.

Bill va s'asseoir devant le vieux piano, dans le coin, et se met à jouer un air. Stan se lève, prend Daphné par la main et ils se mettent à danser. Doucement, ils valsent autour de la pièce, comme s'ils étaient seuls au monde. Nous les regardons pendant un moment, puis maman me lance un regard et me fait un petit sourire espiègle. Elle attrape ma main et nous nous mettons aussi à danser, mais pas aussi élégamment que Stan et Daphné. Grace nous regarde et essaie de ne pas rire.

Le morceau suivant que joue Bill est plus rapide. C'est assez frénétique, et la façon de jouer de Bill, plutôt désinvolte, ajoute à la confusion. Stan et Daphné se rassoient, pendant que maman nous présente une danse traditionnelle tchèque que son père leur avait apprise, à elle et à sa sœur Anna, quand elles étaient petites. Je ne sais pas trop ce que mon grand-père en aurait pensé, mais assez vite nous sommes tous en train de rire et de glousser, parce que Grace et moi essayons d'imiter maman, qui nous montre des pas de plus en plus rapides.

- C'est mieux que la télévision, hein? blague Stan, alors que lui et Daphné nous observent et frappent dans leurs mains.

Bientôt, nous nous effondrons toutes les trois au sol.

Quelques heures plus tard, Stan, Daphné et Bill rentrent chez eux, et maman, Grace et moi nous mettons à nettoyer et à ranger.

- Je crois que j'ai peut-être vu un peu large, dit maman en regardant les plats encore à moitié pleins de nourriture.

- Quel dommage! dis-je en mangeant une petite pomme de terre sautée bien croustillante.

Nous nous assoyons toutes les trois, et faisons une petite pause en finissant les restes de nourriture.

- C'était vraiment gentil, ce que tu as fait pour Stan et Daphné, maman.

Elle lève les épaules doucement et sourit.

- Ça m'a fait plaisir, répond-elle simplement. C'est bizarre, mais j'ai presque l'impression que Stan est un membre de la famille, maintenant.

Elle grimace, et je me rends compte que tante Anna doit beaucoup lui manquer. J'aimerais pouvoir faire quelque chose. Tout comme Stan et Daphné, elles se connaissent depuis très longtemps. Je voudrais que leur histoire soit belle, elle aussi.

Cette nuit-là, quand nous rentrons à la caravane, j'ouvre mon carnet pour essayer une dernière fois d'écrire mon conte, et la carte postale du cercle de pierres en tombe. Je la regarde, et une idée se forme dans mon esprit. Si les Jeunes Filles ont rapproché Stan et Daphné, leur magie peut peut-être fonctionner sur d'autres personnes. Je retourne rapidement la carte, écris l'adresse de tante Anna, puis lui rédige un court message. Je ne lui dis pas grand-chose, seulement que maman, Grace et moi vivons ici, dans une caravane.

Le lendemain, sur le chemin de l'école, j'invente une excuse pour rentrer dans le petit bureau de poste, où j'achète un timbre et glisse rapidement la carte dans la boîte aux lettres.

- Qu'est-ce que tu fabriques? me demande Grace quand je sors de la poste.

- Rien du tout.

CHAPITRE 36

≫ *Grâce* ≪

Une fois son cours terminé, Tardif nous laisse partir, et Ryan se précipite vers moi pour me dire que les organisateurs du Festival de la plage l'ont appelé hier, parce qu'ils veulent que notre groupe passe l'audition aujourd'hui, juste après l'école.

– Aujourd'hui, je lui chuchote, horrifiée. Mais tu avais dit que ce serait la semaine prochaine !

– Ne t'inquiète pas, tout va bien aller. Si on joue tous les morceaux qu'on a joués au party de Ben, on va réussir facilement. Une fois qu'on aura été sélectionnés, on aura quelques semaines pour répéter pour le concert.

– Où se déroule l'audition ?

– Au même endroit que le party, dans la salle des fêtes.

– D'accord, lui dis-je nerveusement tandis que la cloche sonne. Je te retrouve là-bas.

Pendant toute l'heure de cours qui suit, je suis dans la lune, à penser à l'audition. Je sais à quel point c'est important pour Ryan, et je ne veux pas le laisser tomber. À la récréation du matin, je pars à la recherche d'Ellie pour lui raconter ce qui m'arrive, et je repère JP et Cath devant les toilettes, un peu plus loin.

– Hé, la Reine des glaces, ton père connaît Spielberg ? me lance JP.

En me demandant de quoi il parle, j'accélère pour les dépasser, mais JP est plus rapide que moi et me bloque le passage.

– Ta petite sœur raconte que c'est un grand acteur, se moque-t-il en jetant un regard à Cath.

Je dissimule ma surprise et essaie de me glisser sur le côté pour passer, mais il m'attrape le bras et me fait pivoter.

– Moi, je parie qu'il joue dans des pubs pour les nettoyants à cuvettes de toilettes, ricane-t-il. Ça ne doit pas rapporter beaucoup, si vous vivez dans une caravane toute pourrie, hein ?

J'essaie de dégager mon bras, mais il l'agrippe fortement, avec un petit sourire narquois.

– JP, laisse-la tranquille, dit Cath, gênée, mais il ne l'écoute pas.

Il essaie d'attraper mon autre bras. Cette fois, je suis plus rapide que lui. Je lui plaque la paume de ma main libre sous le menton, et je repousse son visage vers le haut de toutes mes forces. Il perd l'équilibre et tombe en arrière, droit sur mademoiselle Tardif.

– Jacob ! aboie-t-elle en se retenant pour ne pas tomber. À quoi jouez-vous ?

– C'est elle, mademoiselle, elle m'a poussé ! lance JP d'un air renfrogné en me montrant du doigt.

Mademoiselle Tardif me lance un regard furieux.

– Alors, qu'est-ce qui s'est passé, mademoiselle Smith ? me demande-t-elle.

J'ouvre la bouche pour parler, mais aucun son n'en sort. Mes mains se mettent à transpirer et je sens naître mon affreuse sensation de nausée. Je reste figée sur place, en silence. Les dix secondes qui suivent me semblent durer dix ans. JP fait un petit sourire satisfait, et je me contente de fixer mademoiselle Tardif.

– Eh bien, dites quelque chose !

Je n'y arrive pas.

– En retenue, cet après-midi, indique-t-elle d'un ton brusque et irrité. Tous les deux.

Le visage de JP se décompose.

– Je n'ai rien fait, mademoiselle ! la supplie-t-il. J'ai été attaqué. Je suis la victime.

– À trois heures trente, dans mon bureau, conclut mademoiselle Tardif en s'éloignant.

– Dis quelque chose, Mademoiselle Glaçon, je ne t'entends pas..., se moque JP.

Je rentre dans les toilettes pour filles et m'enferme dans une cabine. Ça sent mauvais et les murs sont couverts de graffitis, mais je m'en moque, je n'arrive à penser qu'à une seule chose : l'audition, juste après les cours. Je ne peux pas laisser tomber Ryan. Je ne peux vraiment pas. Personne ne se frotte à mademoiselle Tardif. Qu'est-ce que je vais bien pouvoir faire ?

CHAPITRE 37

❧ Ellie ❧

- Grace? Ça va? je lui demande en marchant avec elle dans le couloir.

- Oui... Non... Euh... Je ne peux pas te retrouver après les cours, me répond-elle. J'ai quelque chose.

- Quoi donc?

- L'audition pour le groupe, et...

Elle fait une grimace.

- Et une retenue avec mademoiselle Tardif.

- En même temps?

Elle hoche la tête.

- Qu'est-ce que tu vas faire?

J'ai vu comment mademoiselle Tardif s'occupait des élèves trop bruyants dans la cafétéria. D'habitude, les professeurs ne me font pas peur, mais *elle*, elle me fiche la trouille.

- Je ne sais pas trop.

- Tu vas avoir de gros problèmes si tu ne vas pas en retenue.

Soudain, elle me regarde.

- Ellie, pourquoi as-tu raconté à tout le monde que papa est acteur? me demande-t-elle brusquement.

- Il fallait bien que je dise quelque chose. Les gens me posaient des questions sur lui, qu'est-ce que tu aurais voulu que je fasse?

- Mais dire qu'il était acteur!

- Et alors? Tu veux que je leur dise la vérité?

- Tu n'étais pas obligée de mentir...

- Je n'avais pas le choix...

Je sens la colère monter en moi.

- Grace, on a une toute nouvelle vie, maintenant. On peut être absolument qui on veut. Tu as Ryan, je n'ai jamais vu maman aussi heureuse, et, pour la toute première fois, j'ai des amies.

- Et qu'est-ce qui va se passer quand ces amies vont découvrir que tu leur as raconté des histoires?

- Elles ne l'apprendront pas. Je ne vais pas laisser quoi ou qui que ce soit tout gâcher. Je refuse de redevenir une rien du tout, OK?

- Mais de quoi tu parles?

- Je suis une personne complètement différente, ici. Je suis Elle Smith, la fille que tout le monde trouve super.

- Ellie, fais attention à toi...

- Pas la peine de me dire quoi faire, je ne t'écoute pas, de toute façon.

Je me retourne et m'éloigne à grands pas en la laissant plantée là. Je m'en vais retrouver Abi, Rose et Florence dans la cour. D'après la façon dont elles me regardent, je vois qu'elles ont entendu les rumeurs, elles aussi.

- Cath raconte à tout le monde que tu ne vas pas emménager dans cette maison, sur la colline..., commence Abi.

Je prends une grande respiration.

- C'est vrai.

- Quoi? demande Florence, surprise.

- J'étais vraiment déçue d'apprendre ça, la semaine dernière... Je n'avais pas envie d'en parler, mais papa s'est mal débrouillé, et quelqu'un d'autre a acheté la maison, j'explique en haussant les épaules, d'un air dépité. J'imagine que Cath avait envie de me causer du tort, et qu'elle raconte maintenant à tout le monde que je suis une menteuse et que ça n'a jamais été prévu que j'emménage là, dès le départ.

- C'est exactement ce qu'elle fait, oui.

- C'est bien ce que je pensais. Elle n'aime pas trop que je sois la princesse Caraboo, non plus.

- Elle est jalouse, c'est tout! lance Florence.

- C'est une bonne actrice et elle pensait obtenir le rôle. Elle doit vraiment me détester, maintenant. J'imagine qu'il va juste falloir que je m'habitue à ce qu'elle répande des histoires sur moi.

- Eh bien, on ne les écoutera pas! réplique Rose fermement.

- Quelle saleté! ajoute Florence, de mauvaise humeur.

- Ouais. Je ne vais pas l'inviter à mon party, le mois prochain, conclut Rose.

- Elle ne serait pas venue, de toute façon, rétorque Abi. Elle passe tout son temps avec JP, maintenant. Elle n'en a plus rien à faire, de ses vieilles amies.

- Eh bien, ça ne me pose aucun problème, lance Rose.

- Chut, elle est juste là, annonce soudain Abi.

- On s'en moque, dit Florence. Allons-y avant qu'elle invente autre chose au sujet d'Elle.

Florence passe son bras sous le mien. Quand nous passons devant Cath, assise toute seule, je croise son regard et je me rappelle ce que c'est que de ne pas avoir d'amies avec qui discuter et rire. Soudain, je n'ai plus l'impression d'être « Elle, la fille que tout le monde trouve super ». Je me sens juste méchante, petite et mauvaise.

CHAPITRE 38

≫ Grâce ≪

Je me dirige vers le bureau de Tardif, après la cloche de la fin des cours, en me sentant angoissée. Je jette un coup d'œil à l'intérieur et la vois en train de taper à l'ordinateur. Elle attend les élèves qui ont été envoyés en retenue aujourd'hui. Je suis sur le point d'entrer et de m'asseoir en silence, quand, à ma grande surprise, je fais demi-tour. Comme si mes pieds et mes jambes ne m'obéissaient plus et agissaient de leur propre volonté. Je remonte à grands pas le couloir, passe la porte d'entrée, traverse la cour et sors de l'école. Je me mets à courir et ne m'arrête pas avant d'être arrivée à la maison.

Je tremble en me penchant sous l'arrière de la caravane, où maman cache la clé dans le vieil arrosoir de métal. Je rentre rapidement, fais un câlin rapide à Bruno et attrape mon violon. Je verrouille la porte de la caravane et refais rapidement le chemin des pierres en sens inverse. Je suis vraiment essoufflée quand j'arrive à la salle des fêtes, en ville. Ryan, Daniel et Kev sont en train de décharger leur matériel de la voiture de la mère de Daniel.

– Bonne chance, mon chéri! dit cette dernière en attrapant son fils par le cou avec enthousiasme et en lui donnant un gros baiser qui claque.

Son rouge à lèvres laisse une marque sur la joue déjà bien rouge de Daniel.

– Arrêteuuu ! hurle-t-il en se dégageant et en s'essuyant la joue, tandis que Kev ricane derrière lui.

Ryan se précipite vers moi.

– Prête ? me demande-t-il avec un grand sourire.

Je hoche la tête en souriant pour cacher ma nervosité, puis je l'aide à tout transporter à l'intérieur.

Nous apprenons que nous sommes les derniers à passer l'audition. Ryan est content, parce que ça signifie que nous pouvons voir ce que présente la compétition. Le fait d'attendre sans rien faire me donne juste plus de temps pour m'inquiéter au sujet de mademoiselle Tardif et de sa colère quand elle verra que je ne suis pas allée en retenue.

Le premier groupe monte enfin sur scène. Trente secondes après le début de leur premier morceau, nous échangeons des regards soulagés, puis des grimaces exagérées, parce qu'ils ne sont pas très bons. Le deuxième groupe est encore pire, et Kev fait son petit malin en nous disant à voix basse qu'on va gagner facilement, mais les quatre groupes qui suivent sont vraiment excellents. Nous commençons à nous inquiéter, parce que nous avons maintenant de la véritable compétition. Seulement trois groupes dont les membres ont moins de dix-huit ans pourront jouer au festival, les autres seront plus âgés ou plus connus.

C'est enfin à notre tour et nous montons sur scène. Les cinq minutes qui suivent se déroulent dans un brouillard. Daniel fait attention de ne pas trop se faire remarquer, parce que Ryan a lancé la menace, un peu plus tôt, de personnelle-ment arracher les bras et les jambes de quiconque tomberait de la scène, mais il bondit tout de même d'un côté et de l'autre comme un kangourou hyperactif. Nous avons joué la moitié de notre morceau quand je vois, du coin de l'œil, quelqu'un s'installer au fond de la salle.

Je me rends compte avec horreur que c'est mademoiselle Tardif, et fais quelques fausses notes. Ryan me jette un petit regard, surpris. Je me reprends rapidement et continue de jouer pendant qu'elle reste au fond de la salle, les bras croisés, à nous observer avec une expression sévère. Tout à coup, faire bouger mes doigts pour former mes notes devient très difficile. Daniel est impressionné, lui aussi, et se fige comme un lapin devant les phares d'une voiture. Nous réussissons tout de même à jouer le reste du morceau.

Nous terminons notre audition et les juges commencent à délibérer en chuchotant pendant que nous retournons vers nos sièges pour attendre les résultats. Mademoiselle Tardif s'approche de nous. Elle est en train de plier un morceau de papier sur lequel elle vient d'écrire.

– Bravo, mademoiselle Smith. Dans l'ensemble, c'était vraiment une bonne performance. Vous irez en retenue pendant le reste de la semaine pour compenser celle que vous avez ratée aujourd'hui. Donnez ceci à vos parents. J'ai hâte de les rencontrer, ajoute-t-elle en me tendant la feuille.

– Aïe, marmonne Daniel, t'es dans la...

– Daniel ! intervient brusquement mademoiselle Tardif, avant de s'éloigner.

Ryan me regarde et me dit :

– Merci.

Nous attendons encore dix minutes avant que les juges prennent leur décision.

– Votre attention, s'il vous plaît ! annonce un gars habillé tout en noir et qui porte des lunettes de soleil alors qu'il fait très sombre dans la salle. Le choix était très difficile à faire, parce que nous avons vu énormément de talent, ce soir, alors certains d'entre vous seront déçus en rentrant chez eux. Les groupes que nous voulons voir jouer au festival cette année sont Note-à-note, Soir noir et... les Dégâts.

Ryan, Kev et Daniel laissent échapper des cris de joie.

– On est choisis ! crie Ryan en me serrant dans ses bras.

– Yaaaaahoooouuuu ! Je t'aime, mon ami ! hurle Daniel en sautant sur ses pieds et en serrant le gars en noir, faisant accidentellement tomber ses lunettes de soleil alors que le pauvre homme fait un pas en arrière, affolé.

– Désolé, marmonne Daniel. Je me suis laissé emporter...

CHAPITRE 39

❧ Ellie ❧

Quand j'arrive à la maison, après la répétition, maman est déjà là, mais il n'y a aucun signe de Grace.

– Qu'est-ce qui se passe?

Elle ne me répond pas, alors je jette un œil au papier posé devant elle. C'est un mot de mademoiselle Tardif, qui explique que Grace ne s'est pas présentée en retenue aujourd'hui. Elle est très préoccupée par son comportement et voudrait rencontrer maman ou papa le plus rapidement possible.

– Grace a séché la retenue parce qu'elle avait une audition.

– Une audition? répète maman, éberluée.

– Elle joue dans un groupe.

– Grace?

– Oui. Ils sont très bons, et c'est grâce à elle.

Maman ramasse le papier et le regarde.

– Qu'est-ce qu'elle a bien pu faire pour s'attirer autant d'ennuis à l'école?

– Rien du tout. Tardif s'acharne sur elle parce qu'elle ne parle pas.

Maman pousse un long soupir.

- Pourquoi est-ce que Grace ne te parle pas non plus ? Je peux comprendre qu'elle ne parle pas aux autres, mais à toi ?

Maman reste silencieuse pendant quelques secondes, puis elle fait une petite grimace et secoue la tête.

- Je l'ai laissée tomber, me dit-elle enfin.

- Comment ça ?

- Il y a quelques années, je lui avais promis de parler à quelqu'un au sujet de votre père.

- Et qu'est-ce qui s'est passé ?

- J'ai eu peur. Vraiment très peur. Je me suis rendu compte que, si je parlais, on risquait de vous emmener, Grace et toi. Votre père m'a toujours menacée de vous enlever à moi. Et ça, c'était la chose que je n'aurais jamais pu supporter. Alors je me suis tue. J'ai essayé de tout supporter, en espérant que ça s'arrangerait, un jour. Mais rien ne s'est arrangé, ça n'a fait qu'empirer. Je me suis fâchée avec Anna, et puis grand-mère est morte. Je n'avais nulle part où aller, et pas d'argent, alors... je suis restée.

Maman recouvre son visage de ses mains, et je sais qu'elle pleure. La porte de la chambre s'ouvre et Grace apparaît. Elle passe ses bras autour de maman et enfouit son visage dans son cou.

- Je suis désolée, Grace. Si je vous avais perdues, Ellie et toi, mon monde se serait écroulé, chuchote maman. Je ne pouvais pas risquer ça.

- Bon sang, Grace, parle-lui! je lui ordonne. Dis quelque chose!

Grace essaie de parler, mais aucun mot ne sort. Alors elle serre maman plus fort.

- Ce n'est pas grave, ma chérie, reprend maman. C'est ma faute. Tu me faisais confiance. Je ne t'en veux pas une seule seconde.

Elle prend une grande respiration et plie la lettre.

- Et ne t'inquiète pas pour ça. Je vais aller voir cette mademoiselle Tardif demain, et découvrir ce que tu as bien pu faire de si terrible à l'école.

Grace hoche la tête et essaie de sourire.

- Voilà qui est mieux. Bon, elle ne va pas me manger, hein? demande maman.

Grace et moi échangeons un regard. Tardif la croquerait pour son déjeuner, sur une tranche de pain blanc.

Le lendemain, maman tient sa promesse. Elle enfile des pantalons noirs chics et un chemisier à manches longues. Elle n'a pas porté ces vêtements depuis que nous sommes parties de la maison. Elle se coiffe de manière élégante et se maquille avec soin.

- J'ai mis mon armure, annonce-t-elle, déterminée, en enfilant son manteau. Ne t'inquiète pas, Grace, je vais tout arranger. Tout va bien aller.

Elle part une demi-heure plus tôt que nous, afin de voir mademoiselle Tardif avant le début des cours.

Quand nous arrivons, nous la voyons sortir du bureau de Tardif.

Elle a le visage très pâle, mais elle a l'air tout aussi déterminée. Elle s'avance calmement vers l'entrée de l'école, où elle nous rejoint.

– Qu'est-ce qui s'est passé?

– Rien. Je lui ai juste expliqué que Grace est une élève appliquée, consciencieuse et qui travaille dur, qui fait toujours de son mieux, et que je trouve que c'est suffisant.

Maman respire profondément et je remarque que ses mains tremblent.

– Je vais rentrer à la maison, me changer, et me faire une bonne tasse de thé bien fort!

Elle nous sourit à toutes les deux et se tourne vers la sortie.

– Maman…, l'appelle Grace d'une voix si basse qu'on l'entend à peine.

Maman s'arrête net, se retourne lentement et la regarde. Grace ouvre la bouche, sans arriver à parler avant deux bonnes secondes.

– À… À plus tard, maman, dit-elle enfin.

Maman se mord la lèvre, cligne des yeux, parce qu'ils sont remplis de larmes, et hoche la tête. Puis elle part rapidement, traverse la cour et passe le portail de l'école, se faufilant à travers les élèves qui se dépêchent d'entrer alors que la cloche sonne.

CHAPITRE 40

⚛ *Grâce* ⚛

Ça faisait tellement longtemps que je voulais parler à maman. Lui dire ces quelques mots a été comme de lever un sort qui aurait pesé sur moi jusque-là. D'abord Ryan, puis maman : bientôt, je vais être capable de parler à n'importe qui. J'entre dans la classe et je repère Ryan. Je pensais qu'il serait complètement ravi d'avoir réussi l'audition, mais il est assis à son pupitre, le menton appuyé sur sa main, et regarde dehors par la fenêtre. Je m'assois à côté de lui et me penche pour lui parler.

– Qu'est-ce qu'il y a ?

Il hausse les épaules.

– Rien, tout va bien, marmonne-t-il.

– Est-ce qu'on répète, ce soir ?

– Non.

Il baisse les yeux, pour éviter mon regard.

– Qu'est-ce qui ne va pas ?

Il ne me répond pas, et se contente de secouer légèrement la tête. Je commence à vraiment m'inquiéter.

– Est-ce que c'est ton père ?

– Non, il... il va bien.

– Mais c'est quoi, alors ?

– Rien ! Arrête de me poser des questions.

Étonnée et blessée par son ton brusque et son changement total d'attitude, je m'éloigne de lui. Mademoiselle Tardif entre dans la classe et tout le monde se tait immédiatement.

Je regarde Ryan plusieurs fois pendant le cours, mais il garde la tête baissée sans la relever une seule fois. Tardif est aussi sarcastique et brusque que d'habitude, mais je remarque qu'elle n'essaie plus de me forcer à parler. Quand elle nous laisse partir, après le cours, Ryan se dépêche de sortir de la classe, sans m'attendre comme il le fait d'habitude.

JP vient vers moi.

– Alors, il t'a laissée tomber, hein ? me dit-il avec un petit sourire narquois. Typiquement Ryan. Pas capable de se concentrer bien longtemps.

Je le regarde fixement, horrifiée. Mais de quoi parle-t-il ?

– Un de perdu, dix de retrouvés, ajoute-t-il alors que je me précipite hors de la classe.

Pendant tout le reste de la matinée, je me rends malade en pensant à Ryan et en me demandant ce qui peut bien être en train de se passer. À la pause du dîner, je m'assois sur le banc où nous nous retrouvons d'habitude, mais il ne se montre pas. Ellie me fait signe de la main quand elle sort de la salle d'arts plastiques. Elle rit et bavarde avec ses amies, prenant du plaisir à être au centre de l'attention. Elle a l'air d'avoir tellement confiance en elle-même, maintenant. Et son regard est si déterminé, comme si elle allait prendre la responsabilité de tout, quoi qu'il arrive.

Je repère JP, de l'autre côté de la cafétéria. Il me sourit et lève le pouce en exagérant son geste. Je me lève pour quitter mon banc.

CHAPITRE 41

J'arrive près de l'amphithéâtre pour aller à la répétition, quand je vois Cath, appuyée contre le mur, à côté de la porte, sans doute en train d'attendre JP. Elle m'a regardée bizarrement toute la journée, dès la première minute du premier cours. Elle affiche une sorte d'expression suffisante, un petit air malin, comme si elle attendait juste le bon moment pour attaquer. Je sens des picotements désagréables dans ma nuque et je suis nerveuse. J'avais prévu l'ignorer, mais elle m'appelle quand je passe devant elle.

– Hé, Elle...

Je continue à marcher.

– Je vous ai vues, ce matin, Grace et toi, avec votre mère, lance-t-elle. Votre *vraie* mère, je veux dire.

Mon cœur fait un bond. Je me retourne et la regarde, et je vois un sourire triomphant s'étaler sur son visage. Je comprends qu'elle a découvert un autre de mes mensonges.

Je ne sais absolument pas quoi dire, mais je sais que je dois faire quelque chose – je dois l'empêcher de tout gâcher.

Je me précipite dans l'amphithéâtre où Abi, Florence et Rose sont assises au bord de la scène, à m'attendre.

- Qu'est-ce qui se passe? me demande Rose, inquiète. Tu as l'air vraiment bouleversée!

Je jette un regard à Cath qui m'a suivie. Je panique intérieurement.

- C'est... C'est juste... Cath, je balbutie.

Je baisse rapidement les yeux pour éviter leurs regards. Dans ma tête, j'entends la voix de papa. « Tu es vraiment la reine des comédiennes », se moque-t-il.

- Elle a encore dit des choses sur toi? me demande Abi.

- Qu'est-ce qu'elle a raconté?

Je prends une grande respiration avant de lâcher:

- Quelque chose... sur ma mère.

- Mais quoi?

Je me mords la lèvre.

- Je n'ai pas envie d'en parler!

Alors je fais exactement ce que j'ai annoncé: je n'en parle pas. Quel incroyable jeu d'actrice, me dis-je avec amertume.

Je tourne le dos à Cath, et, immédiatement, Abi, Florence et Rose font la même chose.

Tu as réussi ton coup, la *Drama Queen*. Championne.

Cath a l'air de vouloir se diriger vers nous, alors nous traversons calmement la salle en l'ignorant, la ridiculisant en la laissant là toute seule. Florence et Rose rigolent. Je lance à Cath un regard meurtrier. À son tour, elle me fusille du regard. Voilà comment les choses vont se passer, à partir de maintenant.

Nous sommes en guerre.

CHAPITRE 42

≫ Grâce ≪

Ryan m'évite clairement. Mais pas seulement moi. Il évite tout le monde. Kev et Daniel voudraient savoir ce qui se passe. Ça fait des jours que nous n'avons pas répété et Kev me supplie de parler à Ryan. Avec un petit hochement de tête, je lui promets d'essayer. Malheureusement, mademoiselle Tardif me fait rester en classe pendant la récréation pour terminer un devoir, alors je n'ai pas l'occasion de lui parler. Après la récréation, ni Ryan ni JP ne se présentent au cours de maths. Je jette un coup d'œil dans la salle, étonnée. Il y a une drôle d'ambiance, comme si nous étions tous des bouteilles de soda et que quelqu'un nous avait secoués.

— Bon, où sont Baxter et Jacob? demande monsieur Harvey, parcourant la classe d'un regard caché sous ses sourcils broussailleux.

— Dans le bureau du directeur, répond Daisy Millaire. Ils se sont battus pendant la récréation.

Je lève la tête, inquiète.

— Oh, c'est merveilleux, soupire Harvey-à-poils-longs.

— Ouais, c'était vraiment génial, monsieur, s'exclame Daniel, tout excité. Quand Ryan a frappé JP sur la bouche, il y avait du sang partout!

– Épargnez-nous les détails, Daniel, lui rétorque monsieur Harvey en levant les yeux au ciel. Bon, calmez-vous, c'est terminé. Ouvrez vos livres à la page 234. On va passer aux équations algébriques, c'est moins violent.

On entend des gémissements plaintifs dans la classe.

Je me penche sur mon manuel, mais les nombres et les lettres dansent sur la page. J'essaie de respirer calmement, de trouver des choses que je pourrais lister pour me calmer, mais je n'y arrive pas. Mon estomac se tord quand, tout à coup, mon esprit est envahi par l'image de papa en colère frappant maman de toute la force de son poing, la nuit avant notre départ de la maison.

Je me plaque la main sur la bouche, me lève d'un bond et me lance vers la porte de la classe.

– Grace, est-ce que ça va ? me demande monsieur Harvey.

Je réussis à secouer la tête avant de courir aux toilettes des filles.

Je me précipite dans une des cabines, me penche au-dessus des toilettes et vomis aussitôt.

CHAPITRE 43

❧ Ellie ❧

Tout le monde parle de la bagarre - tout le monde sauf Cath, qui reste vraiment silencieuse. Personne n'a vu ni Ryan ni JP depuis la récréation et la rumeur court qu'ils ont tous les deux été renvoyés de l'école et qu'ils sont rentrés chez eux. Pourtant, quand la dernière cloche sonne, à la fin de la journée, Grace et moi les voyons sortir du bureau du directeur.

Quand Grace aperçoit Ryan, elle se fige, puis fait demi-tour et s'éloigne rapidement dans la direction opposée.

- Tu ne veux pas lui parler?

Elle ne me répond pas.

- Grace?

- Je ne peux pas parler à quelqu'un qui frappe des gens, me dit-elle.

- Mais... et le groupe? Le Festival de la plage a lieu dans quelques semaines.

Elle secoue la tête.

- Je rentre à la maison.

Elle s'éloigne, pendant que je reste là. Je jette un œil vers Ryan, qui regarde Grace partir à la hâte. Il fait une grimace, puis se retourne et s'en va dans la direction opposée.

Pendant la répétition, Cath ne s'approche de personne, sauf quand elle dit ses répliques. Elle n'est pas tout à fait comme d'habitude, elle agit bizarrement, un peu comme si elle jouait un rôle même quand elle n'est pas sur scène.

- Qu'est-ce qui se passe ? je chuchote à mes amies.

- Elle a le cœur brisé, me répond Florence d'un ton sarcastique.

- JP est exclu de l'école pendant deux semaines, m'explique Abi. Ryan aussi.

- Pourquoi est-ce qu'ils se sont battus ?

- Daisy Millaire a vu JP tordre le bras de Cath derrière son dos. Ryan lui a ordonné de la lâcher, JP a piqué une crise, s'est mis à le frapper et la bagarre a commencé.

- Et tu ne le croiras jamais, mais, après, Cath a juré à Tardif que JP n'était pas en train de lui faire mal et qu'il était juste en train de plaisanter.

Je pense à ce pauvre Ryan. Je dois raconter cette histoire à Grace dès que j'arriverai à la maison.

Après la répétition, je me précipite à la caravane, mais Grace n'est pas là. Bruno non plus. Pensant qu'elle a dû l'emmener en promenade, je vais faire un tour sur la plage, mais ils n'y sont pas non plus. Je retourne en courant à la caravane et je suis sur le point d'y entrer quand, tout à coup, j'ai une drôle d'intuition. Je me dis qu'elle doit se trouver avec les Jeunes Filles. Je me dépêche d'aller vers la clairière et la vois, assise comme une statue au milieu du cercle de pierres, avec Bruno à côté d'elle.

– Grace! je crie. Ce n'était pas sa faute!

Elle lève la tête et me regarde, l'air surprise, pendant que je lui explique ce qui s'est passé lors de la bagarre.

– Pourquoi Cath a-t-elle juré qu'ils ne faisaient que s'amuser si JP était vraiment en train de la blesser? me demande-t-elle.

– À ton avis? je lui réplique, stupéfaite que quelqu'un d'aussi brillant puisse être en même temps aussi stupide. Pourquoi maman disait-elle toujours que tout allait bien?

Grace fait une grimace et se lève.

– Je dois aller parler à Ryan, m'annonce-t-elle.

Elle me tend la laisse de Bruno et s'en va.

CHAPITRE 44

⋙ Grâce ⋘

J'arrive en ville et me dirige vers la maison de Ryan, près de la place du marché. Je frappe à la porte. J'attends sur les marches pendant une éternité avant d'entendre enfin quelqu'un arriver. Le père de Ryan ouvre la porte, puis retombe en arrière dans son fauteuil, comme si cet effort l'avait exténué.

– Il n'est pas ici, Grace, m'annonce-t-il en haletant entre chaque mot.

Il a des cernes foncés sous les yeux.

Je reste debout sur les marches, gênée et sans savoir ce que je dois faire, maintenant.

– Maman ! crie un des jumeaux.

C'est Tom, qui arrive en courant dans le couloir. Il s'arrête, déçu, en me voyant. Son père l'entoure du bras et le petit garçon grimpe sur ses genoux.

– Ce n'était pas la faute de Ryan, cette bagarre, vous savez..., je commence à lui expliquer.

– Ne t'inquiète pas. Je connais mon garçon mieux qu'il ne se connaît lui-même. Il fait les choses comme il faut.

– Où est-il ?

– J'imagine qu'il est à la crique aux phoques. Il va rentrer dans un moment. Tu peux l'attendre ici, si tu veux.

– Merci, mais je crois que je vais partir à sa recherche.

– Répète-lui ce que je viens de te dire, reprend son père en me regardant droit dans les yeux. Dis-lui que je sais qu'il fait les choses comme il faut.

J'acquiesce, puis je pars en direction du chemin qui longe la falaise. Je trouve Ryan assis sur l'herbe, en train de regarder la mer.

Il sourit en me voyant, mais il a le regard triste. En tremblant, je m'assois près de lui. Je n'ai plus aussi peur qu'avant de me trouver près du bord de la falaise.

– Je suis désolée, je lui murmure. Ellie m'a raconté ce qui s'est passé avec Cath et JP.

Il hausse les épaules.

– C'est du passé.

– Tu es allé l'aider. Je ne le savais pas.

– Je n'allais quand même pas le regarder lui arracher le bras.

Il soupire, puis ajoute :

– Je dois rentrer chez moi. Mon père n'est pas capable de cuisiner.

– Tu n'es exclu que pendant deux semaines. Tu vas bientôt reprendre l'école. Tout va redevenir comme avant.

– Non, tout a changé.

– Comment ça ?

– Je ne vais pas retourner à l'école.

– Quoi ?

– Je vais partir vivre à New York.

– Mais qu'est-ce que tu racontes ?

– Les jumeaux et moi, nous partons vivre chez notre mère.

– Mais... et votre père ?

– Il veut que nous partions. Il ne nous laisse pas le choix. Il s'est arrangé pour que quelqu'un vienne l'aider. Il dit que ce sera mieux ainsi, que nous n'aurons pas à le voir aller de plus en plus mal. Il va entrer à l'hôpital dans quelques jours. Ils vont le bourrer de médicaments.

Pendant un moment, Ryan se tait. Je prends sa main dans la mienne, et la serre fort.

– Il va bien aller.

– Peut-être. Je l'ai déjà vu aller aussi mal.

– Et il s'est remis, ensuite ?

– Pendant quelque temps.

– Quand est-ce que tu pars ? je lui demande, alors que tout mon monde s'écroule, comme si la falaise, en face de nous, s'effritait dans la mer.

– Demain.

Sa voix tremble.

– Grace, qu'est-ce que je dois faire ?

Mon cœur se brise. Je voudrais lui dire de rester.

– Ton père a dit... il a dit... que tu fais les choses comme il faut.

– Je ne veux pas le laisser. Peu importe à quel point il se met à aller mal. C'est mon père.

– Alors reste.

– Mais Henri et Tom ? Quand maman est partie, ils n'avaient même pas un an.

Il s'arrête et secoue la tête.

– Ils vont avoir besoin de moi, aussi. Ils croient que la vie avec maman va ressembler à des vacances permanentes. Ils parlent déjà d'aller jouer tous les jours dans Central Park. Ma mère vit dans un appartement avec deux chambres, dans Queens.

– Est-ce que tu ne pourrais pas lui parler, à elle ?

– J'ai déjà essayé, la semaine dernière. Écouter n'est pas sa plus grande qualité.

Il me regarde.

– Et puis, il y a toi, Grace. Tu es la meilleure chose qui me soit arrivée. Je vais te perdre, toi aussi.

CHAPITRE 45

❧ Ellie ❧

En rentrant, Grace ne dit rien.

- Est-ce que tu l'as trouvé?

Elle fait oui de la tête.

- Parfait. Tout est arrangé, alors.

Elle ne me répond pas. Elle court dans notre petite chambre, se jette sur la couchette et se met à sangloter.

- Grace! Qu'est-ce qui se passe?

Je suis complètement stupéfaite. Je ne l'ai jamais vue pleurer comme ça. En fait, en y pensant bien, je ne l'ai jamais vue pleurer du tout. Grace ne verse jamais de larmes. Elle ne se laisse absolument pas sangloter bruyamment sans se contrôler. Grace reste calme et continue d'avancer. Toujours.

- Qu'est-ce qu'il y a? Qu'est-ce qui s'est passé?

- Il s'en va! me chuchote-t-elle. Oh, Ellie!

Je la serre fermement dans mes bras et lui dis toutes les paroles rassurantes qui me viennent en tête. Je lui répète toutes ces choses qu'elle m'a dites si souvent, quand mon monde s'écroulait. Au bout d'une éternité, elle réussit enfin à m'expliquer que Ryan va aller vivre avec sa mère à New York.

Je me creuse la tête pour trouver quelque chose qui pourrait la réconforter.

- Tu vas le revoir, lui dis-je d'un ton enjoué. Bien sûr que oui…

Tout à coup, j'ai une inspiration.

- Hé, pense à grand-père et grand-mère. Ils se sont rencontrés complètement par hasard, ils avaient une chance sur un million de tomber l'un sur l'autre. Et puis ils ont dû suivre chacun leur route. Ils se sont retrouvés seulement… cinq ans plus tard. Et New York, ce n'est pas si loin…

Grace se met à sangloter encore plus fort, et je me rends compte que je ne m'en sors pas très bien. J'essaie une dernière fois de la consoler.

- Grace, ça va bien aller, lui dis-je de nouveau en me demandant si je devrais lui faire respirer des sels, comme ils le font dans les vieux films en noir et blanc. Mais nous n'avons plus de sel dans la caravane, que ce soit du sel à respirer, pour cuisiner ou pour parfumer le bain.

- Gracinette, écoute-moi! Je sais que tout va bien aller!

Frappée par l'intensité de ma voix, elle lève la tête vers moi. Ses yeux sont si rouges et son visage tellement gonflé qu'elle ne se ressemble même plus.

- Il faut que tu aies confiance! je lui affirme fermement en avançant le menton et en serrant les lèvres.

Son visage se décompose.

- Mais… je ne sais pas comment…, me répond-elle, avant de se remettre à pleurer.

Je suis complètement dépassée par la situation. Je ne sais plus quoi faire.

Quand maman arrive à la maison, elle prend la relève. À l'heure du coucher, Grace est enfin tranquille, comme on l'est quand on est épuisé d'avoir trop pleuré.

Au matin, nous partons à l'école. Sur le chemin, elle ne me parle pas. Elle se contente de répondre «oui» ou «non» à mes questions. Je suis triste pour elle aux récréations et pendant la pause du dîner. Elle reste assise toute seule, mais secoue la tête quand je lui propose de venir nous rejoindre, mes amies et moi. Elle ne mange presque rien. Et ça continue de cette façon, jour après jour.

Au bout de deux semaines, JP revient à l'école et Cath se remet à passer tout son temps avec lui. Grace l'évite comme la peste. Elle évite tout le monde, d'ailleurs. Même moi. Elle est silencieuse tout le temps. Au moins, elle ne pleure plus le soir en s'endormant. Maman est inquiète, parce qu'elle ne s'alimente pas comme il faut, alors elle rapporte des bonnes choses du café pour essayer de lui donner envie. Du coup, mes pantalons d'uniforme sont vraiment trop serrés, maintenant.

Et je n'ose pas lui demander si elle a eu des nouvelles de Ryan.

CHAPITRE 46

≫ Grâce ≪

On dit qu'avec le temps on s'habitue à tout. Mais combien de temps ? Ça fait maintenant deux semaines que Ryan est parti. Je n'avais jamais ressenti ce genre de douleur atroce, ce nœud dans mon ventre. Je vérifie le cellulaire de maman chaque jour, au cas où il m'aurait envoyé un message.

Rien.

J'essaie de me convaincre que ça va finir par devenir plus facile. Il le faut. Je dois juste arrêter de penser à lui et me concentrer sur autre chose. Alors j'essaie. J'essaie vraiment. Je fais des listes. Des listes de tout et n'importe quoi. Des chansons du *hit-parade*, des artistes, de mes ambitions ou des dix pires professeurs que j'ai eus, des phobies, des mauvaises habitudes. Je fais des listes de listes. Je couds. Je découds et recouds. Je joue du violon jusqu'à ce que mes doigts saignent. À l'école, je travaille dur, et aujourd'hui, après les cours, comme je m'ennuie et que je me sens seule, je me faufile dans l'amphithéâtre et je vais regarder pour la première fois Ellie répéter sa pièce.

Je suis émerveillée de voir à quel point ma petite sœur est bonne. Papa avait parfaitement raison de l'appeler la *Drama Queen*, mais pas dans le sens qu'il donnait à ce surnom. Sur scène, elle brille et se démarque des autres acteurs, même de Cath, qui est bonne, mais n'a pas la moitié du talent d'Ellie.

Je ne sais toujours pas exactement ce qui s'est passé entre ces deux-là. Maintenant que je les vois ensemble, je remarque qu'elles sont de toute évidence en guerre.

Dans notre ancienne école, un groupe de filles s'attaquait tout le temps à moi, parce que j'étais différente et donc une cible facile. Je ne leur avais jamais répondu, et je ne m'étais même jamais défendue. Je me disais qu'elles allaient se lasser si je ne réagissais pas et, heureusement, après quelques mois affreux, elles en avaient effectivement eu assez. Elles fonctionnaient en groupe et leur meneuse était une fille au joli visage de poupée appelée Jessica Savard. Elle avait des cheveux blonds et bouclés attachés en queue de cheval bien nette, un délicat petit nez retroussé et des yeux bleus bordés de longs cils. La plupart des adultes lui donnaient le bon Dieu sans confession et elle avait passé presque toute l'année à se hisser vers le haut de l'échelle hiérarchique de notre classe.

Au moment où Ellie et moi sommes parties avec maman de la maison, Jessica n'avait même plus besoin de dire ou faire quoi que ce soit d'horrible, elle n'avait qu'à lever les yeux au ciel ou à faire un petit claquement de langue dédaigneux pour que ses admiratrices fassent le sale boulot à sa place. Elles donnaient « accidentellement » des coups de coude ou lançaient des sarcasmes affreusement blessants.

Même les filles gentilles étaient entraînées dans le sillage de Jessica, comme si elle leur avait lancé un sort. C'était elle qui décidait à qui on pouvait parler, qui on devait éviter et qui on devait poignarder dans le dos. Parfois, elle choisissait ses victimes selon un raisonnement logique, par exemple quand elle voulait prendre sa revanche contre quelqu'un qui l'avait ennuyée. Mais, d'autres fois, elle s'attaquait à quelqu'un au hasard. Elle accumulait les cibles avec la même passion qui anime d'autres filles quand elles magasinent des chaussures. Et maintenant, en regardant ma petite sœur, je suis inquiète de voir cette même expression froide et calculatrice dans son regard.

Je ne sais pas comment, mais au cours des dernières semaines, pendant que j'étais dans mon propre monde à ne penser qu'à Ryan, Ellie a atteint le haut de l'échelle de son groupe. Tout comme Jessica, elle est au centre de l'attention, c'est-à-dire exactement où elle a toujours voulu être. Elle a une foule d'admiratrices. Une d'entre elles a teint ses cheveux de la même couleur que ceux d'Ellie, et une autre noue sa cravate exactement comme Ellie. Elles sont toutes pendues à ses lèvres, pendant que Cath les regarde agir de loin.

Quand Ellie me voit, elle me fait signe et vient me rejoindre.

– On est en train d'essayer les costumes, me lance-t-elle comme si elle était la responsable. Pourquoi ne restes-tu pas un peu ?

Comme pour confirmer ses propos, madame Nicol arrive avec une grosse pile de linge dans les bras. Il y a un frisson d'excitation quand elle distribue de longues robes fluides, des chemises à dentelle, des chapeaux bizarres et ce qu'elle appelle des «hauts-de-chausses de gentilshommes». Elle envoie les garçons dans une classe située de l'autre côté du couloir, pour que les filles puissent commencer à se changer. Elle me demande ensuite si je peux lui donner un coup de main et je prends quelques minutes pour aider Ellie à passer une magnifique robe brodée de fil d'argent.

Cath la regarde d'un œil jaloux.

– Madame Nicol, je suis la maîtresse du manoir, se plaint-elle. Cette robe est immonde.

– Pour l'instant, mets-la, Catherine. On pourra peut-être la modifier plus tard si elle ne te va pas assez bien, lui répond madame Nicol en se dépêchant vers le couloir pour aller rejoindre les garçons.

– Soyons honnêtes, certaines personnes ont de grosses fesses, peu importe ce qu'elles portent ! déclare Ellie bien fort en regardant Cath.

Une de ses amies laisse échapper un petit ricanement.

– Oh, c'est immonde ! gémit-elle en imitant Cath.

– Vite, donnez-lui la robe pour les fesses d'éléphant ! lance une autre.

– Impossible... C'est l'éléphant qui la porte...

– Vous allez vous taire, maintenant ? aboie Cath, mais son accès de colère ne fait que provoquer d'autres rires.

Je regarde Ellie qui se contente de hausser les épaules.

– Il n'y a pas de problème, Grace, annonce-t-elle encore plus fort. Je ne suis pas la seule *Drama Queen* ici.

Cath regarde Ellie avec colère, mais celle-ci lui fait baisser les yeux.

– Qu'est-ce qu'il y a, Cath ? lui lance l'une des filles.

– Tu as encore des rumeurs sur moi que tu voudrais répandre ? lui demande Ellie, son regard se durcissant. Hé, tiens, si tu racontais à tout le monde que tu as une adorable collection de poupées ? Ou, mieux encore, tu pourrais en apporter quelques-unes, demain, on pourrait toutes jouer avec !

Plusieurs filles se mettent à pouffer de rire. Certaines tentent d'arrêter, mais plus elles essaient, plus leur rire devient contagieux et, rapidement, elles sont toutes en train de glousser. Le visage de Cath se décompose et je reconnais son expression : c'était celle d'Ellie quand papa disait des méchancetés devant des gens pour l'humilier.

Elle lance un coup d'œil à Ellie, puis fait demi-tour et court vers la porte de l'amphithéâtre. En l'ouvrant, elle se prend les pieds dans sa longue robe et trébuche dans le couloir, ce qui provoque de nouveaux éclats de rire. Je fixe Ellie, dégoûtée, mais elle ne le remarque même pas. L'expression de son visage est à moitié triomphante, à moitié rebutée par le mal qu'elle vient de faire.

Je sors et trouve Cath cachée derrière une rangée de cases. Elle est en train de pleurer. Je veux lui parler. Avant que je puisse prononcer un seul mot, elle essuie rageusement ses larmes et me crie :

– Qu'est-ce que tu regardes ?

Elle me bouscule pour passer et se précipite dans les toilettes des filles.

CHAPITRE 47

– Alors, tu en as pensé quoi? je demande à Grace, sur le chemin de la maison, après la répétition.

Elle n'a pas dit un mot depuis que nous sommes parties.

– De quoi? me demande-t-elle d'un ton brusque.

– De moi, dans la pièce.

– Ah, de ça. Oui, tu étais très bonne.

Je remonte la fermeture éclair de ma veste pour avoir moins froid.

– Ce n'était pas la peine de m'attendre, tu aurais pu rentrer directement à la maison.

– Ce n'est pas ça, le problème.

– C'est encore à cause de Ryan? je lui demande en frissonnant.

– Non.

Elle me dévisage et, tout à coup, je me sens mal à l'aise.

– C'est quoi, alors? j'insiste en baissant la tête pour éviter son regard.

Au fond, je sais exactement ce qui la tracasse. Je n'ai simplement pas envie de l'admettre.

- C'était atroce, la façon dont tu as traité Cath, me reproche-t-elle, fidèle à elle-même. Ellie, comment as-tu pu faire ça?

- La meilleure défense, c'est l'attaque.

- Et qui t'a appris ça, papa?

- Qu'est-ce que tu veux dire?

- Tu as agi exactement comme lui, aujourd'hui.

- Ce n'est pas vrai!

- Oui, c'est vrai. Quand tu t'en es pris à Cath devant tout le monde, j'aurais cru entendre papa. Il aurait dit le même genre de choses que toi.

Je revois papa me traîner devant tout le monde, ma robe toute tachée de gâteau, et je me sens rougir de honte. Et puis je me rappelle avoir traité Cath de *Drama Queen*, et je me sens encore plus mal. Je sais que c'était vraiment un coup bas. Je me souviens d'avoir tellement pleuré, parce que papa m'appelait comme ça.

- Il fallait que je le fasse, dis-je à Grace, pas très sûre de moi. Pour nous protéger.

- De quoi, Ellie? me demande-t-elle d'un ton féroce. Papa n'est pas là, maintenant. Tout est différent.

- Oh, tu fais ta parfaite, hein? je lui rétorque brusquement, à la fois fâchée contre elle, contre papa et contre moi. Mademoiselle la Merveilleuse, qui ne dit jamais de mal de personne. Évidemment, puisque tu ne dis jamais rien!

Elle est déjà en train de s'éloigner. Elle me laisse plantée là, entre deux pierres, dans la clairière.

- Je me fiche de ce que j'ai dit à Cath, je crie dans sa direction. Je ne vais pas la laisser tout gâcher. Et je me fiche aussi de ce que tu penses!

Je m'assois par terre, furieuse contre le monde entier. Même l'herbe drue qui me pique les jambes à travers mon uniforme m'irrite. Je m'adosse à la roche froide qui se trouve derrière moi. Elle bouge un peu, et je lui dis qu'elle n'est qu'un stupide caillou qui a été planté dans le sol par des gens qui n'avaient pas de console de jeux, ne connaissaient pas Internet et n'avaient rien de mieux à faire.

La nuit commence à tomber, pourtant je n'ai pas envie de rentrer à la caravane et de me retrouver devant Grace, et aussi devant maman, qui serait toute douce et gentille et me demanderait ce qui ne va pas. Même si je n'avais pas envie de lui en parler, je finirais d'ailleurs par le lui dire. Alors je reste là, assise contre la roche, à me demander ce qui se passerait si je ne bougeais plus jamais de là.

Ellie, c'est la plus idiote, la plus stupide de toutes tes idées les plus idiotes et stupides. Si personne ne me remarque, assise ici, en train de faire ma petite crise pathétique, je finirai par mourir de faim. Mon cadavre sera enfoui sous l'herbe et les feuilles, et peut-être que, dans cent ans, quelqu'un trouvera le petit tas de mes os bien blancs et que les gens se mettront à inventer des histoires sur qui j'étais et comment je me suis retrouvée là. Pendant une période, on dira que j'aurai été la victime d'un sacrifice humain à l'âge de bronze, et ensuite que j'étais une vagabonde qui est morte de froid. Quelqu'un d'un peu allumé va forcément penser que j'étais une des Jeunes Filles, qui est morte là en s'échappant de sa prison de pierre. Mais personne ne connaîtra jamais la vérité. Personne ne saura que je n'étais qu'une petite fille un peu imbécile, qui inventait des histoires et mentait à tout le monde, et surtout à elle-même.

Je n'aimais pas qui j'étais avant, quand nous vivions dans notre ancienne maison avec papa, mais maintenant que je me rends compte de qui je suis vraiment, je déteste ce que je vois. La toute nouvelle Ellie Smith, que tout le monde trouve super! À qui est-ce que j'essaie de faire croire ça? Grace a raison. Je n'ai pas changé du tout, je suis toujours la pauvre vieille Ellie, cette fille qui est devenue une brute comme son père. Il n'y a vraiment rien de génial là-dedans.

Je regarde ma montre. Mon père doit être rentré du travail, à cette heure-là. Peut-être que c'est parce qu'on se ressemble tellement que je pense si souvent à lui, parce qu'on est pareils, lui et moi. Mon cœur accélère et je lutte pour arrêter de penser à lui. Je ne veux pas être comme lui. Pourquoi est-ce que je ne ressemble pas plutôt à Grace ou à maman, ou aux parents de maman? Je pense que ça ne me dérangerait pas de ressembler aux parents de papa, même. Je ne les ai jamais rencontrés et ils sont morts tous les deux, mais papa n'arrêtait pas de dire qu'ils étaient parfaits, qu'ils faisaient tout si bien et qu'ils l'avaient extrêmement bien élevé. Pourquoi est-ce que je ne suis pas comme eux?

Un brouillard humide commence à m'entourer et je n'arrive presque plus à voir les contours des pierres. Dans cette brume froide et la faible lumière du soir, on dirait qu'elles fondent et se mélangent, comme si elles bougeaient. Je frissonne.

Hypnotisée, je les regarde pendant une minute, ou peut-être pendant une heure, je ne sais pas du tout. Puis, du coin de l'œil, je les vois avancer vers moi. Deux grandes formes sombres et une petite. Je pousse un cri.

Tout à coup, je reçois une lumière vive dans les yeux et maman, Grace et Bruno sont à côté de moi. Grace tient une lampe de poche dans sa main. Elles m'aident à me lever, puis maman me prend dans ses bras et me serre fort, me faisant le câlin le plus doux et le plus réconfortant que j'aie jamais reçu. Bruno danse autour de mes jambes, mais elles sont tellement engourdies que j'ai l'impression que je pourrais tomber n'importe quand. Maman frotte mes mains gelées dans les siennes.

- Voyons, Ellie, mais qu'est-ce que tu fais là, dehors ? me demande-t-elle.

CHAPITRE 48

⫸ Grâce ⫷

— Va prendre une douche chaude maintenant! ordonne maman à Ellie. Tu vas tomber malade si tu ne te réchauffes pas.

Ellie ne proteste pas. Je la regarde tandis que maman la pousse doucement dans la minuscule salle de bains. Elle a l'air différente. J'essaie de comprendre ce qui a changé et finis par me rendre compte qu'elle n'a plus cette lueur dans le regard.

Maman réchauffe de la soupe et, quand Ellie est habillée et enveloppée dans la courtepointe pour avoir encore plus chaud, nous nous assoyons toutes les trois autour de la petite table. C'est le repas le plus silencieux depuis que nous avons quitté papa. Maman observe Ellie qui garde la tête baissée en mangeant lentement sa soupe.

Enfin, Ellie lève la tête et demande, de façon complètement inattendue:

— Maman, est-ce que tu ressembles à ton père?

— Comment ça? De visage, tu veux dire?

— Non. Est-ce que tu es comme lui? Est-ce que tu as la même façon de penser que lui, la même façon d'agir?

Maman fait une petite grimace et secoue la tête.

– Votre tante Anna ressemble plus à votre grand-père que moi.

– Alors tu n'es pas comme lui ?

– Il ne se laissait pas embêter. Avant d'arriver dans ce pays, il avait passé presque toute sa vie à tenir tête à des gens qui auraient facilement pu le faire tuer. Il faut avoir beaucoup de force pour faire ça.

– Tu as tenu tête à madame Tardif, j'interviens.

– Ce n'est pas tout à fait la même chose.

Elle se mord la lèvre et on dirait qu'elle est sur le point de pleurer.

– Anna s'est fâchée contre moi, une fois, et m'a dit que j'évitais la confrontation comme les chats évitent l'eau. Mais j'imagine que, au final, on est qui on décide d'être.

– Qu'est-ce que tu veux dire ?

– Eh bien, nos parents nous transmettent certaines caractéristiques, bien sûr, comme la couleur des cheveux, ou la forme du nez. Mais nous ne sommes pas juste ces caracté-ristiques-là. Et nous avons le choix de faire ou non les choses. Je me souviens que grand-mère se plaignait que grand-père était têtu et trop obstiné. Il lui répondait seulement que son père et lui s'affrontaient tout le temps, parce qu'ils se ressem-blaient. *Jeden jaka druhy*, disait-il, ce qui voulait dire «L'un comme l'autre». Et pourtant, ils n'étaient pas identiques. Grand-mère m'a avoué que si la police secrète était au courant du concert, c'était parce que le père de grand-père l'avait prévenue.

– C'est affreux !

– Il faisait partie du gouvernement, donc du système. Il a fait ce qu'il pensait devoir faire.

– Grand-père devait le détester ! lance Ellie.

Maman examine la courtepointe et nous montre un morceau de soie verte usée.

– C'est un bout d'une cravate que votre arrière-grand-père portait souvent. Grand-père l'avait mise pour partir à ce concert. Je pense que, d'une certaine façon, il savait qu'il ne reverrait jamais son père.

Ce soir-là, dans notre chambre, Ellie et moi n'échangeons pas un seul mot. Le lendemain, nous faisons le trajet pour l'école dans un silence total, et l'atmosphère entre nous est très bizarre. C'est vraiment étrange qu'Ellie soit si tranquille. On dirait que nous sommes deux étrangères, pas des sœurs. Je ne la vois pas pendant la journée et je ne l'attends pas pendant sa répétition.

Je sors de l'école en pensant à Ryan, comme d'habitude. Au lieu de rentrer directement à la maison, je me dirige vers chez lui, même si je sais qu'il n'est pas là.

L'endroit a l'air triste et abandonné. Des planches à voile sont tombées sous un buisson en broussaille et l'herbe pousse à travers le chariot brisé. Je suis sur le point de continuer mon chemin quand je vois le père de Ryan venir vers moi sur le trottoir.

– Grace, comment vas-tu ?

Je me force à sourire et à hocher la tête.

– Bien, merci, je murmure. Et vous ?

– Je suis bourré de médicaments. À part les tremblements, je ne me plains pas.

– Et les jumeaux ? Et... Ryan ?

C'est lui, maintenant, qui me fait un sourire forcé.

– Ils allaient bien la semaine dernière. Ils commencent l'école demain. Alors j'imagine qu'ils se sont adaptés.

– C'est bien, je déclare en ravalant mes larmes.

– Oui, acquiesce-t-il d'une voix rauque.

– Je dois y aller.

Il hoche la tête.

– Ils reviennent dans environ un mois, seulement pour quelques jours. Viens faire un tour.

– OK, merci, je lui réponds, sachant parfaitement que je ne le ferai pas.

Il manœuvre son fauteuil roulant sur l'allée du jardin, ouvre la porte et rentre chez lui. Je redescends la rue. Au moment où je tourne le coin, un taxi passe. Un des passagers me fait des gestes vigoureux de la main et il me faut quelques secondes pour comprendre que c'est Henri. Stupéfaite, je me retourne et vois le taxi s'arrêter devant chez lui. La portière arrière s'ouvre d'un coup et Henri, Ryan et Tom descendent de la voiture en se bousculant. Le conducteur sort deux valises du coffre tandis que Ryan me fait signe de la main. Je dois me plaquer les mains sur la bouche pour m'empêcher de pousser un cri de joie.

– On est rentrés ! crie Henri.

276

Les deux petits garçons courent jusqu'à la porte de la maison et frappent dessus bruyamment. Folle de joie, je me précipite vers Ryan qui court vers moi sur le trottoir et me serre dans ses bras.

– Tu m'as manqué, Grace, me chuchote-t-il.

– Tu m'as manqué aussi, je lui réponds d'une voix étranglée.

Le père de Ryan apparaît à la porte de la maison.

– Mais qu'est-ce qui se passe ? demande-t-il, déconcerté.

Ryan ne détourne pas les yeux de mon visage et dit simplement :

– Tout va bien, papa. Maman a simplement changé d'avis.

Son père essaie d'avoir l'air inquiet, mais il est évident qu'il est ravi, lui aussi.

– Bon, dit-il d'un ton bourru au bout de quelques secondes. Bon. Eh bien, tant pis pour elle.

Ryan passe son bras autour de moi et nous rentrons tous dans la maison. Quand il est sûr que les jumeaux ne peuvent pas l'entendre, il explique que tout s'est mal passé dès le premier jour. L'intrusion de trois garçons turbulents avait complètement bouleversé la vie bien réglée de sa mère et son appartement bien net.

– Elle sait que vous êtes là, n'est-ce pas ? lui demande son père.

– C'est elle qui a payé les billets de train et le taxi, explique Ryan.

– Je suis tellement content que tu sois à la maison, mon grand, lui avoue son père, la voix tremblante d'émotion.

– Tout va bien aller, papa, le rassure Ryan. On va se débrouiller.

– Bien sûr que oui! Grace, sors-moi la poêle. Mon réfrigérateur est plein de saucisses!

Alors je commence à préparer le souper pendant que Ryan s'active, vidant les valises, entassant du linge sale dans la laveuse, rangeant la cuisine. Les jumeaux s'assoient sur les genoux de leur père et il les entoure de ses bras et les serre comme s'il n'allait plus jamais les lâcher.

– C'est bien que tu sois revenu, annonce-t-il à Ryan. J'ai dû dire à Michel, du centre de sauvetage en mer, que tu ne pourrais pas jouer au Festival de la plage, mais, maintenant, plus rien ne t'en empêche. Je compte les jours, mon garçon. J'ai vraiment hâte.

CHAPITRE 49

❧ Ellie ❧

Quand Grace rentre, elle est si différente que j'ai du mal à le croire. On dirait qu'elle est une autre personne, elle est si heureuse. Elle se rattrape de n'avoir quasiment rien dit pendant les trois dernières semaines en parlant sans arrêt. Au bout de vingt minutes, je lui explique que je suis vraiment contente que Ryan soit revenu, mais que je vais aller finir mes devoirs dans la chambre. Maman me regarde, secouée. Alors, dans le dos de Grace, je fais une grimace en prenant une expression gâteuse. Maman hoche la tête et sourit. Elle comprend que, pour une fois, Grace me casse les pieds.

Je ne ferme pas l'œil de la nuit, pensant à ce que je vais faire demain, et je ne crois pas que Grace dorme beaucoup non plus. Le matin, nous nous levons toutes les deux vraiment très tôt.

En arrivant à l'école, elle court retrouver Ryan, alors je traverse la cour à la recherche de Cath. Je la vois appuyée contre le mur, près du labo de science, avec JP et un de ses amis. Elle est plus maquillée que d'habitude et elle a un faux bronzage sur le visage. Les deux garçons sont en train de discuter du match de soccer d'hier. Cath traîne autour de JP, faisant semblant d'être intéressée. La cloche de fin de récré sonne et elle ramasse son sac.

- Attends un peu, dit-il.

Elle hésite.

- Mais je vais être en retard, JP.

- Et alors? lui rétorque-t-il. Je croyais que tu aimais être avec moi?

- Bien sûr, mais...

- Je suis le meilleur moment de ta journée, n'est-ce pas?

Cath a l'air mal à l'aise et JP et son ami échangent un petit sourire narquois.

- Ouais, ben c'est pas la peine de venir me voir tout à l'heure, ajoute JP.

- Pourquoi? lui demande Cath, surprise.

- C'est pourtant clair, non? Tu t'es regardée? T'as l'air d'un clown!

Et il lui tourne le dos et s'éloigne avec son ami, laissant Cath toute seule.

Elle m'aperçoit, mais détourne le regard et se dépêche de rentrer. Elle suit rapidement le couloir en se dirigeant vers notre classe.

Je me dis que c'est ma chance de lui parler, alors je lui cours après et la rattrape.

- Cath...

Elle se retourne et me fixe, fâchée et gênée.

- Quoi?

- Je, euh... Je voulais juste te parler.

Maintenant, je suis nerveuse.

- Ah ouais? Eh bien, moi, je n'ai pas envie de te parler.

Elle commence à s'éloigner.

- Attends.

Elle s'arrête et me regarde.

- Quoi?

J'ai la bouche sèche et, pour une fois, je ne suis pas sûre de ce que je dois dire.

- Je suis désolée, je balbutie.

- De quoi, exactement? lâche-t-elle sèchement.

- Désolée de... de tout, en fait.

Elle me dévisage, se demandant si je suis encore en train de la faire marcher.

- C'est vrai. J'ai été absolument atroce.

- C'est le moins qu'on puisse dire, Elle.

- Écoute, je suis vraiment désolée. C'est vrai. Je veux qu'on redevienne amies.

- Non, mais tu plaisantes?

- Non, pas du tout. J'ai réfléchi à beaucoup de choses, et...

- Va te faire voir, Elle!

- Ellie, je lance en la regardant dans les yeux. Je m'appelle... Ellie.

Elle me regarde aussi, troublée, et ne sait ni quoi dire ni quoi faire. Notre prof arrive et nous demande d'entrer dans la classe.

- Allez, les filles. La cloche va sonner, nous dit-il en nous suivant dans la salle bruyante, puis il ordonne à tout le monde de se taire.

Pendant tout le cours, Cath m'observe d'un air méfiant. Et ça continue le reste de la journée. Nous sommes en trêve, mais c'est étrange et nous sommes gênées. Aucune de nous ne sait ce qui va se passer ensuite, alors nous nous évitons tout en surveillant secrètement ce que fait l'autre.

Ce n'est qu'au moment de la répétition que nous communiquons réellement. Nous n'avons pas le choix. Maintenant que nous avons appris nos répliques, nous savons déjà exactement ce que nous allons nous dire et nous connaissons aussi nos intentions.

Ça ne prend qu'une ou deux heures pour qu'Abi, Rose, Stéphanie et Florence me demandent ce qui se passe, alors je leur dis la vérité. En tout cas, une version courte et retravaillée de la vérité. Je leur explique que je suis désolée de la façon dont j'ai traité Cath et que je veux que nous redevenions amies.

- Tu perds ton temps, m'avertit Abi. De toute façon, elle passe tout son temps avec JP. Il la mène par le bout du nez.

Abi a raison, évidemment. Cath ne veut plus rien savoir de moi, mais je veux quand même tout faire pour que notre relation soit amicale.

Après la répétition, je rattrape Grace. En m'attendant, elle était allée voir Ryan jouer au soccer.

- Je ne veux pas être comme papa. Et je ne vais pas l'être.

- Qu'est-ce que tu vas faire au sujet de Cath?

- Je ne sais pas comment me faire pardonner. J'ai essayé de lui parler, mais elle ne veut pas m'écouter.

- J'imagine que, ce qui compte, ce sont les actes, pas les paroles, me lance Grace en haussant les épaules.

- Quoi?

- Tu devrais peut-être faire quelque chose.

- Comme quoi?

- Je ne sais pas. Tu vas devoir trouver toute seule.

Tout à coup, j'ai une idée. Une idée tellement géniale que même Cath ne pourra pas faire autrement que me pardonner.

- Rentre à la maison, je te retrouve plus tard.

- Qu'est-ce que tu vas faire?

- Juste un petit truc, je lui réponds en retournant en courant dans l'école.

J'ouvre doucement la porte de l'amphithéâtre. Il n'y a plus personne, pas même madame Nicol.

Je me glisse vers le support à costumes, et je trouve la robe de lainage gris de Cath qui ne la met vraiment pas en valeur. Je vérifie de nouveau qu'il n'y a personne, puis je roule la robe en boule et la fourre dans mon sac. Je suis vraiment cinglée. Si Nicol la Folle me voyait, elle me tuerait.

Je me dépêche de sortir de l'école, mais je ne rentre pas à la maison, je m'en vais en ville. Il est cinq heures moins le quart. Je n'ai que quinze minutes. Je remonte la rue principale jusqu'à la friperie qui se trouve sur un coin, je me précipite à l'intérieur et commence à fouiller dans les vêtements d'occasion accrochés aux cintres. La petite dame âgée qui s'occupe du magasin essaie de me diriger vers des vêtements qui conviendraient à une adolescente de ma taille, mais je m'intéresse plutôt à un chemisier en soie à motif de grande taille et à une robe de maternité en velours bleu.

Comme elle a pitié de moi, elle me vend les deux articles pour seulement trois dollars. Je la remercie et elle rajoute un petit haut aux vêtements que j'achète.

– Ça t'irait vraiment très bien, ma belle, me chuchote-t-elle. Ce serait bien plus joli que ce que tu as choisi. Tu devrais regarder ces émissions à la télé, qui donnent des conseils de style. Ça pourrait t'aider un peu...

Je me retiens de rire, la remercie et retourne à la caravane. Maman est en train de préparer le souper avec Grace.

– Bonjour, Ellie, tu as passé une belle journée?

– Super! je réponds en me précipitant dans notre petite chambre.

– Qu'est-ce que tu fabriques? me demande maman.

– Rien! Mais n'entrez pas!

CHAPITRE 50

⇒ Grâce ⇐

Ellie sort de la chambre pour souper, engloutit son repas, puis repart s'enfermer.

– Mais qu'est-ce que tu fais, là-dedans? lui demande maman en essayant de passer la tête dans le cadre de porte.

– Je fais... mes devoirs. En quelque sorte, lui répond Ellie en fermant rapidement la porte.

Maman me regarde, interrogative.

– Je ne sais rien! Mais je n'ai pas l'impression que ça se passe comme prévu.

Et je suis sûre d'avoir raison. J'ignore ce qu'elle fait, mais ça ne se passe pas comme elle le voudrait. On entend, une fois de temps en temps, le bruit d'un tissu qu'on déchire, puis des grognements, et de jolis gros mots.

Au bout d'un moment, maman en a assez.

– Ellie, tu sors de là maintenant!

La porte s'ouvre lentement.

– Qu'est-ce qui se passe?

Ellie fait une grimace et ferme les yeux.

– Il se passe que c'est une atroce catastrophe, voilà ce qui se passe! gémit-elle.

– Ellie, voyons !

Je les pousse pour entrer dans la chambre. On dirait qu'une usine de guenilles a explosé là-dedans. Il y a des morceaux de tissu partout.

– Mais c'était censé être facile ! gémit Ellie. Tu es tout le temps en train de couper du tissu et puis de coudre, et tu fais de super belles robes, et tout...

– D'où vient tout ça ? lui demande maman.

Ce qui reste d'une robe en laine grise est étalé sur la couchette du bas. Ça ressemble étrangement au costume de théâtre de Cath. Mon visage s'affaisse.

– Oh, Ellie, non...

– Quoi ? demande maman.

– Tout va bien. Je crois que je vais donner un petit coup de main à Ellie.

Maman sort en se prenant la tête et je prends la robe grise dans mes mains. Elle est déchirée par endroits, et il manque une manche. On dirait que cette pauvre robe s'est battue avec une armée de couteaux.

– Je vais avoir des problèmes, commence Ellie. Cath va croire que je l'ai fait exprès, alors que je voulais seulement qu'elle soit belle.

– Tu aurais dû me demander de l'aide.

– Ça n'aurait pas été moi qui aurais été en train de réparer les choses, proteste-t-elle, ç'aurait été toi !

– Ellie, toi, tu as les idées géniales, et tu me laisses m'occuper du côté pratique. C'est ça, le travail d'équipe.

Je sors le nécessaire à couture de grand-mère de l'étagère, et je prends une bobine de fil gris et des aiguilles. Je demande à Ellie d'enfiler la robe, afin de mieux voir ce qu'il faut faire, puis je fouille dans les restes du tissu pour vérifier si je peux réutiliser certains morceaux. J'enlève la manche qui reste à la robe grise, avant de fabriquer de nouvelles manches à partir du chemisier en soie. Avec ce qu'il reste de la soie, j'ajoute un panneau sur le devant de la robe grise, de l'ourlet au décolleté. Pour finir, je découpe la robe de maternité en velours et fabrique un jupon, que j'ajoute à la robe. Ellie est presque de la même taille que Cath, alors je coupe un peu par-ci et fais quelques points par-là, pour que la robe soit mieux ajustée.

Il me faut un temps fou, parce que je dois tout coudre à la main, mais j'ai enfin terminé. Je ne peux rien faire de plus, et il est tard.

– C'est magnifique ! lance maman, extrêmement étonnée, quand nous lui montrons la robe.

– Eh bien, heureusement, je réponds, tout de même légèrement fière de moi, tandis qu'Ellie enlève la robe et la plie soigneusement.

– J'espère que Cath va l'aimer, avance Ellie.

– Si elle ne l'aime pas, malheureusement, c'est trop tard.

Le lendemain, nous partons pour l'école de bonne heure, afin de pouvoir discrètement remettre en place le costume de Cath.

Alors qu'Ellie est en train de ranger la robe avec les autres costumes, madame Nicol entre dans l'amphithéâtre, des perruques dans les bras.

– Qu'est-ce que tu fais, Elle ?

– Je, euh... Ma sœur et moi, on a arrangé le costume de Cath.

Ellie montre anxieusement la robe à Nicol la Folle, qui se met à l'examiner.

– C'est toi qui as fait ça, Elle?

– Non, c'était mon idée, mais c'est Grace qui s'est occupée de toute la couture.

– C'est très, très bien fait.

– Elle veut être conceptrice de mode, lui précise Ellie. N'est-ce pas, Grace? ajoute-t-elle en faisant un petit mouvement de tête dans ma direction.

Je hoche la tête, et j'aimerais pouvoir parler. Je suis peut-être maintenant capable de parler à maman, à Ryan et à son père, en plus d'Ellie, mais devant tous les autres, je suis encore complètement pétrifiée.

– Dans ce cas, tu pourrais peut-être m'aider avec quelques autres costumes? me demande madame Nicol.

Je souris et hoche la tête, ce qui semble lui suffire.

Elle me tend une autre robe qu'elle a prise sur le support.

– C'est censé être une robe de bal. On dirait plutôt un costume d'Halloween.

Je regarde la robe et je vois immédiatement ce que je peux faire pour l'améliorer.

– Alors, qu'est-ce que tu en penses?

Je voudrais lui expliquer ce que j'ai prévu. Comme d'habitude, les mots ne sortent pas. Je me sens rougir de gêne et de frustration.

– Euh... Grace ne parle pas beaucoup, balbutie Ellie au bout d'un moment.

– Ah bon, d'accord, fait madame Nicol, comme si c'était tout à fait normal. Bon, ce n'est pas grave, ce qui m'intéresse, ce sont tes talents de couturière. La plupart de ces costumes ont besoin d'être retouchés, et je n'ai vraiment pas le temps de le faire. Si tu m'aides, Grace, je prendrai des photos pour te préparer un portfolio professionnel. Ça t'aidera à te faire accepter dans un programme d'études artistiques.

Elle m'explique que je peux aller travailler dans son bureau quand je veux et qu'elle m'accorde un petit budget pour acheter ce dont j'ai besoin. Elle me promet surtout de me trouver une machine à coudre et de m'apprendre à m'en servir.

La cloche annonçant le début des cours sonne et Ellie et moi partons vers nos salles de cours.

– Je suis vraiment désolée de t'avoir impliquée là-dedans. Je n'avais pas prévu que madame Nicol te demanderait de l'aide.

En fait, je suis dans mon élément, et j'ai très hâte de commencer à retoucher les costumes.

CHAPITRE 51

- C'est magnifique! s'exclame Cath en tournant sur elle-même dans sa nouvelle robe. Je n'en reviens pas!

- C'est Elle et sa sœur que tu dois remercier, lui explique madame Nicol. C'est Elle qui a eu l'idée, et sa sœur s'est occupée de la couture.

Stupéfaite, Cath me regarde, bouche bée.

- Grace va aussi m'aider et retoucher d'autres costumes...

- Madame! Madame! Est-ce qu'elle peut s'occuper de ma robe, s'il vous plaît? la supplie Rose.

- La mienne aussi! demande une autre fille.

Tout à coup, la moitié des élèves jouant dans la pièce se retrouve autour de madame Nicol, la suppliant de faire retoucher leur costume. Tandis qu'elle essaie de rétablir l'ordre, Cath vient vers moi, dans un bruissement de jupe.

- Tu es très jolie, lui dis-je nerveusement.

- Merci.

Il y a un silence gêné. Je regarde le sol, tandis qu'elle reste juste à côté de moi.

- Tu veux venir en ville avec moi, un peu plus tard ? je lui demande, avant d'avoir le temps de changer d'avis.

- Je vais retrouver JP, me répond-elle.

- Un autre jour, alors ?

Elle hausse les épaules.

- Ouais...

Je me détourne, déçue. De toute évidence, elle me dit seulement ça pour que j'arrête de le lui demander.

- Ouais, d'accord..., je marmonne, comme si ça n'avait pas d'importance.

- Je voudrais bien y aller, mais... JP n'aime pas que je passe du temps avec d'autres personnes.

Elle me fait un petit sourire tendu, puis regarde vers les portes de l'amphithéâtre. Une des portes est ouverte, et je vois JP dans le couloir.

- Je ferais mieux d'y aller, me dit Cath.

Je la regarde se dépêcher de le rejoindre. Elle fait une pirouette pour faire tourner sa robe, mais JP n'a vraiment pas l'air enthousiasmé et, même si elle essaie de le cacher, la déception se voit sur le visage de Cath. JP prend une des perruques dans la boîte et la lui pose de travers sur la tête, ce qui fait rire quelques garçons qui se trouvent à côté. Elle l'enlève sans rien dire et il lui ordonne d'arrêter de bouder, que c'est juste une blague... même si, en fait, elle est plus jolie avec la perruque.

Quelques minutes plus tard, madame Nicol nous demande de prendre nos positions et de commencer la répétition. Nous sommes tous costumés et une excitation électrique se répand dans le groupe, tandis que madame Nicol nous encourage, nous harcèle et nous pousse à améliorer nos interprétations. Ça ne me dérange pas qu'elle crie : je prends du plaisir à chaque minute. Et même si Cath et moi ne sommes toujours pas redevenues amies comme nous l'étions, je sens une vague de bonheur m'envahir et, pour la toute première fois, je me rends compte que je n'ai pas réellement envie de devenir quelqu'un d'autre. Ça me va très bien d'être la bonne vieille Ellie Smith.

Et je ne suis pas la seule à avoir changé. Grace s'occupe des costumes, parfois à la maison, parfois à l'école et, une fois qu'elle a terminé, ils sont absolument incroyables. Son travail est audacieux et plein d'imagination, on dirait une collection destinée aux défilés de mode. Presque tous les jours, maintenant, la caravane est envahie de robes longues, de capes et de chapeaux. Ça ne dérange pas maman que notre chez-nous soit transformé en atelier de couture et elle aide même Grace, parfois, en chantant les chansons qui passent à la radio en même temps. Comme promis, Nicol la Folle a aidé Grace à photographier chaque costume et elle a préparé un portfolio. Je suggère à Cath de faire une liste de tous les costumes qu'elle a retouchés, mais elle me regarde comme si j'étais complètement folle et me répond : « La vie est trop courte pour faire des listes, Ellie ! » Et elle se met à rire.

Après l'école et pendant les fins de semaine, quand elle n'est pas en train de coudre des costumes, elle répète avec Ryan pour le Festival de la plage. Il y a des affiches partout en ville, maintenant, et la station de radio locale fait de la publicité pour le festival chaque jour. Abi, Rose et moi avons déjà acheté nos billets, et tout le monde à l'école parle de l'événement. Samedi dernier, Grace m'a laissée assister à une de leurs répétitions à la salle des fêtes, et j'ai été stupéfaite de voir à quel point les Dégâts étaient bons.

En rentrant à la maison, nous avons rencontré Suzanne. Elle m'a demandé comment mes histoires avançaient. Je n'avais pas envie de le lui dire, mais, en gros, elles n'avancent pas du tout. J'ai arrêté d'écrire il y a environ deux semaines.

- En les relisant, je les ai trouvées vraiment stupides, ai-je admis.

- N'abandonne pas, m'a-t-elle dit. Écris sur ta propre réalité. Quelque chose que tu connais.

- Je n'ai que treize ans. Qu'est-ce que je sais de la vie ? lui ai-je répondu sur un ton de plaisanterie.

Ce n'est qu'après être rentrée dans la caravane que je me suis rendu compte que j'avais, en effet, une histoire à raconter, mais que je ne ferais jamais, absolument jamais, lire à personne.

J'ai commencé il y a quelques jours à écrire sur papa en secret. Je note tout ce que je ne peux dire à personne dans ce carnet à la couverture bariolée violette. Après quelques pages, je referme le carnet et le cache sous mon matelas. Ça me fait du bien, parce que j'ai l'impression de ranger papa en même temps, hors de mes pensées, alors je peux l'oublier pendant un moment et aller vivre ma vie.

CHAPITRE 52

⋙ Grâce ⋘

Demain, c'est le Festival de la plage et je commence à être nerveuse, même si on s'est donné à fond pendant toutes nos répétitions. La dernière a lieu ce soir, et ensuite, c'est tout.

– Tout va très bien aller, me promet Ellie pendant le trajet pour rentrer à la maison après l'école.

Je rapporte le dernier costume que madame Nicol voudrait que je modifie, celui d'Ellie, et j'ai prévu m'en occuper avant d'aller chez Ryan, ou, comme dit Ellie, de rentrer à ma deuxième maison.

– S'il te plaît, fais quelque chose de super spécial avec ma robe, m'implore Ellie. Je veux avoir l'air vraiment classe !

– OK, et si j'ajoutais un gros faux cul d'un beau jaune moutarde et des épaulettes géantes vert lime qui iraient jusque-là ? je plaisante en écartant les bras d'un mètre.

– N'y pense même pas ! m'avertit-elle.

La porte de la caravane est ouverte. Bruno est attaché dehors et nous regarde d'un air malheureux quand nous lui faisons une petite caresse.

– Maman a dû quitter le travail plus tôt que prévu, dit Ellie. J'espère qu'elle a rapporté des bonnes choses pour le souper...

Nous entrons dans la caravane et nous figeons d'horreur. Papa est assis devant la petite table. Maman est installée dans le siège d'en face. Entre eux, il n'y a qu'une théière, deux tasses et une assiette de biscuits. Maman reste parfaitement immobile, un petit sourire fragile sur les lèvres. Quand papa se tourne vers nous, elle me lance un regard farouche et effrayé.

– Bon sang, mais qu'est-ce que tu as fait à tes cheveux ? aboie papa à Ellie, comme si la dernière fois qu'il l'avait vue était ce matin. J'espère que ça s'en va au lavage, ma petite. Tu as l'air d'une folle !

Il se tourne vers maman et lui lance :

– Quel genre de mère laisse sa fille se promener avec cette allure ?

Aucune de nous ne dit un mot. Ellie se mord la lèvre. Il règne un silence de mort.

– Merveilleux. Ça fait des semaines que vous n'avez pas vu votre père et vous restez plantées là, toutes les deux, comme des poupées de chiffon.

– Qu'est-ce que tu fais ici ? demande enfin Ellie, avec un tremblement dans la voix.

– À ton avis ? lui rétorque-t-il. Ta mère et moi, nous prenons une bonne tasse de thé.

Je regarde maman, mais elle évite mon regard, baissant rapidement la tête pour fixer sa tasse, qu'elle n'a pas touchée.

– Eh bien, c'est agréable, tout ça, n'est-ce pas ? ajoute-t-il.

Personne ne répond.

– N'est-ce pas, Karine ?

Maman hoche la tête.

– Mon trajet ne s'est pas très bien passé aujourd'hui, je crois que le moteur avait des problèmes et surchauffait. Alors j'ai décidé que nous ne rentrerons à la maison que demain soir, quand vous serez revenues de l'école et que j'aurai pu me reposer un peu.

– À la maison ? Mais...

– Les vacances sont finies, insiste-t-il. J'ai pardonné à votre mère et tout est arrangé.

Maman ne dit toujours rien. Intérieurement, je la supplie de crier, de taper du pied et de lui tenir tête.

– Maman ? l'implore doucement Ellie, car nous comptons toutes les deux sur elle pour faire quelque chose.

– Dis-leur, Karine, lui ordonne papa. Et donne-moi tes clés de voiture, aussi. Je vais les garder bien en sécurité jusqu'à demain.

Maman ouvre son sac et lui donne ses clés de voiture. Elle fait d'énormes efforts pour essayer de parler, et je sais d'après l'expression de son visage ce qu'elle va dire avant qu'elle n'ouvre la bouche. Mon cœur se serre en voyant tous nos espoirs, nos rêves et nos plans se faire réduire en poussière.

– Nous... rentrons à la maison, chuchote-t-elle.

– Bien sûr que oui ! lance brusquement papa. Il est grand temps que les choses rentrent dans l'ordre.

– Mais on ne peut pas ! proteste Ellie. Grace joue dans un festival musical, et j'ai le rôle principal dans la pièce de l'école la semaine prochaine.

Papa pousse un petit rire creux.

– Je suis sûr qu'ils se passeront très bien de notre petite *Drama Queen* ridicule en train de se dandiner sur la scène. Quant à Grace, elle a assez de talent pour participer à des concerts à la maison.

– Mais...

– Il n'y a pas de « mais », Ellie, je ne veux plus entendre un seul mot.

– Je ne rentre pas, lance-t-elle d'un ton craintif.

Il la fixe. Elle recule.

– Pardon ?

La voix de papa est très basse, maintenant.

Ellie faiblit un peu, elle sait que ce qu'elle est en train de faire est dangereux.

– Qu'est-ce que tu viens de dire ?

Elle prend une grande respiration. Intérieurement, je ne peux pas m'empêcher de l'encourager à tenir bon.

– Je ne rentre pas.

Papa serre les lèvres et ses yeux rétrécissent.

– Tu vas faire ce que je te dis.

Maman commence à gigoter.

– Bien sûr, Adam, ne t'inquiète pas. Tout va bien, Ellie ne pense pas ce qu'elle dit, n'est-ce pas, Ellie ? Ton père a raison, il y a beaucoup d'autres pièces et de concerts dans lesquels vous pourrez jouer, à la maison. Dis-lui que tu ne le pensais pas, Ellie. Sois gentille.

– Oui, je le pensais ! proteste Ellie. Je ne rentre pas !

– Ellie, Ellie, s'il te plaît…, la supplie maman en jetant vers papa un regard effrayé, tandis qu'il serre sa tasse de thé de plus en plus fort.

Instinctivement, maman se lève. C'est déjà trop tard : papa lance sa tasse sur Ellie. La tasse la frappe fort au bras et l'éclabousse d'eau brûlante, avant de tomber au sol et de se briser.

Ellie ravale un cri de douleur et se précipite dans la chambre.

– Laisse-la ! ordonne papa à maman en lui attrapant le poignet et en le tordant quand elle essaie de suivre Ellie.

Il se tourne vers moi.

– Et toi, Grace ? Tu as quelque chose à dire ?

Pétrifiée, je le regarde fixement d'un air bête, mes pensées bouillonnant alors que mon visage reste de marbre. J'ai la bouche sèche et j'ai la nausée. Je pense à un millier de choses que je voudrais dire, mais j'ai bien trop peur pour émettre le moindre petit bruit.

– C'est réglé, donc. Maintenant, si on mangeait un peu. Je suis fatigué et j'ai faim. Ellie peut rester dans cette chambre toute la soirée. Je n'ai pas envie de la voir faire la tête.

Il se rassoit et sort une carte postale de la poche de sa chemise. Maman se hâte d'aller préparer le souper. Je jette un coup d'œil à la carte et reconnais le cercle de pierres. Il la retourne et je vois l'adresse de tante Anna, écrite de la main d'Ellie.

– J'ai trouvé ça dans la boîte aux lettres de ton imbécile de sœur, avant qu'elle vérifie son courrier, jette-t-il à maman. Tu devrais lui dire de faire réparer le verrou de cette boîte. N'importe qui peut prendre ce qu'il veut là-dedans.

Il pousse une petite exclamation dédaigneuse et ajoute :

– Les Jeunes Filles qui dansent ! Complètement ridicule !

CHAPITRE 53

❧ Ellie ❧

Je suis allongée sur ma petite couchette, sous mes couvertures, et j'écris en secret dans mon carnet violet. Il commence à être tard, maintenant, au moins neuf heures et demie.

- J'ai chipé ça pendant qu'il ne regardait pas, me dit Grace en me tendant une moitié de pâté à la viande froid.

Dans l'autre pièce, j'entends papa parler. Je grignote la croûte, mais je n'ai plus faim. Grace regarde l'obscurité, dehors, par la minuscule fenêtre de la caravane.

- Tu as manqué ta répétition, lui dis-je.

- Je sais. Et heureusement que Ryan n'est pas venu faire un tour ici pour voir où j'étais. Papa est déjà assez fâché comme ça.

- Mais comment nous a-t-il retrouvées?

Elle fait une grimace et évite mon regard. Je me souviens de la carte postale.

- C'est ma faute, n'est-ce pas? J'ai envoyé une carte à tante Anna.

- Il l'a apportée avec lui.

Je recouvre mon visage de mes mains, sa voix triomphante résonnant dans ma tête. *Je te retrouverai toujours, Ellie. Toujours.*

- Je suis désolée, Grace.

- Il nous aurait trouvées, de toute façon.

- Tu crois?

- Bien sûr, murmure-t-elle. Comment va ton bras?

Je remonte ma manche et vois qu'un énorme bleu est en train de se former. La peau tout autour est rouge et me fait mal là où le thé m'a brûlée.

- Il ne peut pas me forcer à partir. Je vais m'enfuir. En tout cas, je ne rentre pas avec lui.

- Mais maman? me demande Grace en me regardant d'un air effrayé.

Je pousse un long et profond soupir. Nous savons toutes les deux que nous ne pouvons pas nous enfuir.

Toute la nuit, je fais d'horribles cauchemars sur papa, et je n'arrête pas d'entendre sa voix, basse et menaçante. À un moment, je me réveille en sursaut, certaine d'avoir entendu un cri étouffé. J'écoute attentivement, mais la seule chose que j'arrive à percevoir avant de me rendormir, ce sont les battements de mon cœur.

Au matin, maman nous réveille toutes les deux. Son regard est terne et sa voix est faussement joyeuse.

- Allez, vous allez être en retard à l'école.

- Maman...

- S'il te plaît, Ellie, murmure-t-elle en grimaçant de douleur et en rapprochant doucement ses coudes de ses côtes.

- Qu'est-ce qu'il y a? demande Grace.

- Rien. Ça va, me répond-elle avec un sourire forcé, et nous savons toutes les deux qu'il lui a fait mal.

- Ne dites rien au sujet de votre père aujourd'hui, d'accord? nous supplie-t-elle dans un chuchotement qui me donne froid dans le dos.

C'est exactement ce qu'elle nous disait, avant.

- Mais...

- Ça ne fera qu'empirer les choses, Ellie. Promets-le-moi.

- Où est la courtepointe? demande soudain Grace, son visage marqué par la panique.

- Tout va bien, je l'ai cachée, lui répond maman en chuchotant.

- On ne peut pas juste disparaître? Et qui va s'occuper du café?

- C'est mon jour de congé, aujourd'hui. Je vais appeler Stan, et lui dire... quelque chose.

- On ne veut pas te laisser ici toute seule, chuchote Grace.

- Je vais bien aller, ne vous inquiétez pas.

Papa apparaît dans le cadre de porte, derrière elle.

- Bien sûr qu'elle va bien aller, fait-il. Tant que vous ne racontez pas de bêtises, menace-t-il en me fixant du regard.

Nous partons pour l'école en silence. En passant dans le cercle de pierres, j'ai un petit frisson. Je trouve étrange de me dire qu'après aujourd'hui nous pourrions ne jamais les revoir. Notre ancienne vie, cet affreux souvenir lointain, est sur le point de redevenir notre réalité, et tout ce qui s'est passé ici ne sera plus qu'un rêve merveilleux, mais lointain. Je me rends compte à quel point la situation est désespérée. Grace, maman et moi avons cessé de danser et on est en train de nous transformer en roches.

Mon costume est plié au fond de mon sac d'école. Grave n'a évidemment pas pu le modifier hier soir. Ça n'a pas d'importance, de toute façon, puisque je ne vais pas le porter, la semaine prochaine. J'ai aussi fourré mon carnet violet dans mon sac, avec le reste de mon matériel d'école, parce que j'avais peur que papa fouille dans mes affaires, le trouve et le lise. Je ne pouvais pas risquer ça: il aurait piqué une crise atroce.

- Qu'est-ce que tu vas dire à Ryan? je demande à Grace alors que nous arrivons devant le portail de l'école.

Elle hausse les épaules et ne me répond pas. Nous nous séparons et partons chacune de notre côté.

En classe, tout le monde est excité parce que c'est le Festival de la plage ce soir. Abi et Rose ébauchent des plans compliqués pour décider ce qu'elles vont porter et où elles vont me retrouver. Je hoche la tête, sans avoir le courage de leur dire que je ne serai pas là. Je ne peux pas supporter d'imaginer comment Grace doit se sentir, en ce moment.

Sur la pause du dîner, pendant l'essai des costumes, j'oublie mes répliques trois fois et Nicol la Folle se met en rage. Elle est aussi déçue que Grace n'ait pas réussi à améliorer ma robe.

- On a eu des petits problèmes hier soir.

- Bon, heureusement, on a encore bien le temps avant la représentation de la semaine prochaine. Ça devrait suffire pour que tu te reprennes et pour que Grace s'occupe de ton costume.

Elle a tort. Nous n'avons plus le temps de faire quoi que ce soit.

CHAPITRE 54

⋙ Grâce ⋘

— Qu'est-ce qui s'est passé ? demande Ryan. Tu étais où, hier soir ?

— Je... Je n'ai pas pu venir... Je suis désolée.

Je me force à sourire, mais je sens mon visage se décomposer, alors je me détourne, j'ouvre ma case et fais semblant de classer mes livres.

— Ça va ?

Je hoche la tête.

Je fais tomber un livre. J'ai les mains qui tremblent. Je les cache derrière mon dos tandis que Ryan se penche pour ramasser le livre, puis le remet à sa place.

— Ça n'a pas l'air d'aller, me dit-il.

— Je vais bien, je t'assure.

J'essaie de toutes mes forces d'empêcher ma voix de trembler.

— Tu as la même expression que quand je t'ai rencontrée, au début. Comme si tu te méfiais.

— Je n'ai pas pu sortir, c'est tout.

Je dois absolument changer de sujet.

– Kev a réussi à jouer cette intro, sur le premier morceau ?

– Grace. Tu peux me parler. Tu sais que tu peux tout me dire.

– Il faudrait peut-être qu'il la joue un ton plus bas.

– Qu'est-ce qui te fait si peur ?

– Rien. S'il te plaît, Ryan... Arrête de poser des questions !

Nous sommes tous les deux surpris par l'émotion dans ma voix. Aucun de nous ne s'y attendait.

– Désolé. Je ne voulais pas...

La douleur dans sa voix me fait mal. Je ne sais pas quoi lui dire, alors je me tais. Nous nous tenons côte à côte, mais, pour la première fois depuis des semaines, nous sommes à des lieues l'un de l'autre.

– Tiens, dit-il enfin en me tendant un petit paquet emballé dans du papier d'aluminium. Les morceaux, c'est du caramel, pas des graviers.

Je regarde le petit paquet sans forme.

– Les jumeaux ont cuisiné ça avec papa, hier soir. Ils ont dit que c'étaient des biscuits. Les analyses sont encore en cours, on ne sait pas trop à quelles conclusions s'attendre.

Je me bats contre les larmes que je sens monter quand je me rends compte que, dans quelques heures trop courtes, je serai partie et que je ne reverrai jamais ni Ryan ni son adorable famille. Quand le Festival de la plage battra son plein, ce soir, nous serons sur le chemin du retour et j'aurai complètement laissé tomber Ryan.

– Dis-leur... merci et...

Je sens le regard de Ryan posé sur moi. Je voudrais lui dire au revoir ; je n'y arrive pas.

– Remercie-les pour moi, c'est tout.

– Ça va aller, pour ce soir, hein ?

Je ne peux pas lui mentir. Mais je ne peux pas non plus lui dire la vérité. Je marmonne une excuse, en expliquant que je dois aller retrouver Ellie, et je me dépêche de partir. Mon cœur saigne quand je vois l'expression effarée de Ryan qui me regarde m'éloigner.

– À plus tard, alors, me lance-t-il.

Je passe le reste de la journée à l'éviter, mais je suis incapable de penser à quelqu'un d'autre. Pendant la pause du dîner, je me cache dans le bureau de madame Nicol. Le costume d'Ellie sur les genoux, je fais semblant d'être concentrée sur ma couture, et je me fige dès que j'entends un bruit dans le couloir. Ça ne sert à rien, pourtant je me force à faire aller et venir mon aiguille, remarquant à peine que je me pique les doigts et étale du sang sur le tissu argenté.

Dès que l'école est finie, je retrouve Ellie près des toilettes, prête à rentrer.

– Est-ce que tu as dit à Ryan que nous partions ?

Je baisse la tête.

Nous nous dirigeons vers les portes de l'école quand madame Nicol nous aperçoit et nous interpelle.

– Ellie, où vas-tu ?

– Euh... À la maison, madame. Je crois que je couve quelque chose.

– Tu vas t'en remettre. Allez, remue-toi. La répétition commence dans cinq minutes. Non, quatre minutes et quelques...

Ellie me lance un petit regard.

– Je dois y aller, me dit-elle. Assure-toi que maman va bien. Je rentre le plus vite possible.

CHAPITRE 55

❦ *Ellie* ❦

Tout le monde est déjà costumé et bavarde avec excitation ou répète des répliques ou des déplacements. Cath est la seule à l'écart. Elle se tient tout près de l'entrée de l'amphithéâtre, avec JP. Au moment où j'entre, il la repousse loin de lui en la traitant de grosse imbécile. Elle se cogne contre moi, se retourne et sort de l'amphithéâtre avant de partir dans le couloir.

Voyant Cath disparaître, Nicol la Folle lance ses mains dans les airs, dans un désespoir théâtral.

- Ellie, pourrais-tu aller chercher Catherine et la ramener ici, maintenant! me demande-t-elle. Au cas où elle ne serait pas au courant, explique-lui que nous jouons une pièce de théâtre dans moins d'une semaine!

Je me hâte dans le couloir et suis Cath jusque dans les toilettes.

- Cath? Ça va?

- Évidemment! aboie-t-elle, puis elle s'essuie le visage de la paume de ses mains. Tu veux bien t'occuper de tes affaires, pour une fois?

Elle se dirige vers le lavabo, se rince les yeux avec de l'eau froide et me regarde.

- Et je te conseille de ne pas aller raconter que j'ai pleuré, ajoute-t-elle comme si ses yeux rougis ne la trahissaient pas déjà.

Elle se retourne pour partir.

- Cath.

- Quoi?

- Je, euh... J'ai quelque chose à te dire, je balbutie.

- Genre quoi?

Mon cœur bat très fort. Avant de partir, je dois faire cette dernière chose. Je dois lui parler. Si je ne parle pas maintenant, je vais me souvenir de ce moment et me détester toute ma vie.

- C'est un secret.

- Alors, pourquoi me le dis-tu?

- Parce que... parce que je ne vais pas être là, demain.

- Ouais, bien sûr, tu vas être sur les collines d'Hollywood, j'imagine?

- Je serai de retour à Québec.

Elle me regarde, surprise.

- Mais... Et la pièce?

Je hausse les épaules.

- Tu vas jouer le rôle de la princesse Caraboo et tu seras super.

- Ne te moque pas de moi.

- Je ne me moque pas. Je suis totalement sérieuse.

- Mais pourquoi pars-tu maintenant?

- Mon père nous a trouvées.

- Trouvées? Qu'est-ce que tu racontes?

- Je n'ai pas dit la vérité, avant. Je suis désolée, vraiment désolée. J'ai tellement menti, raconté tellement d'histoires stupides, et j'ai été si méchante avec toi que je ne suis pas surprise que tu me détestes. Mon père n'est pas acteur. Il travaille dans un bureau. Nous nous sommes enfuies, ma mère, Grace et moi.

- Enfuies?

- Tout le monde croit qu'il est génial, mais il ne l'est pas du tout. Nous sommes parties parce qu'il avait encore battu maman.

- T'es en train d'inventer tout ça, hein? me lance Cath avec incrédulité. C'est encore une de tes histoires.

- Non, je te le jure. Jusqu'à maintenant, je n'ai jamais raconté la vérité sur papa à personne. J'ai tellement peur et tellement honte de lui. Je ne veux pas qu'on sache comment il est vraiment.

- Je ne te crois pas.

Je remonte ma manche. Le vilain bleu sur mon bras est devenu violet. Tout autour, la peau est rouge et fait des cloques. Cath regarde ma blessure avec répulsion, choquée.

- C'est ton père qui t'a fait ça?

Je hoche la tête.

- Ellie, tu dois aller parler à un prof, à quelqu'un qui peut faire quelque chose.

- Je ne peux pas. J'ai promis à maman de me taire. Et si papa découvre que j'ai parlé, même à toi, il... il...

Ma voix se brise. Je ne veux pas penser à ce que papa pourrait faire.

- Alors, pourquoi me l'as-tu raconté ?

- Parce que... nous étions amies, avant.

Je regarde le sol, parce que ce n'est pas la seule raison. J'ai du mal à trouver mes mots.

- Ce qui se passe, entre JP et toi, c'est pareil. C'est juste le début.

Elle me regarde, indignée, comme si je l'avais giflée.

- JP ?

- Cette affreuse façon qu'il a de te parler et de se moquer de toi tout le temps, avec méchanceté, comme s'il cherchait à te fâcher, et puis tout ce qu'il fait pour contrôler ta vie. J'ai vu tout ça déjà chez mon père... et bien pire, même.

Elle regarde par terre, mais je la vois rougir et je me demande si JP l'a déjà frappée.

- Pour nous, c'est trop tard, mais, toi, tu peux t'arranger pour que ça ne t'arrive pas.

Elle lève enfin le visage vers moi.

- Ce n'est pas trop tard. Tu dois en parler. Parle à madame Nicol. Tout de suite après la répétition.

- Je ne peux pas.

- Tu dois le faire.

Nous repartons vers l'amphithéâtre ensemble. À l'intérieur, tout le monde nous attend. JP appelle Cath, mais elle ne lui répond pas. Elle ne se retourne même pas. Du coin de l'œil, je le vois jeter un coup d'œil mauvais à Cath et marmonner dans sa barbe. Je regarde Cath et elle me fait un petit sourire tendu.

- Au fait, Ellie Smith, tu as été une vraie saleté, mais pourtant, en réalité, je ne te déteste pas, me chuchote-t-elle.

- OK, tout le monde, pouvons-nous commencer la répétition, maintenant? demande madame Nicol.

Je fais de mon mieux pour arrêter de penser à papa et me concentre une dernière fois sur la pièce. Quoi qu'il arrive, je ferais mieux d'apprécier cette dernière heure sur scène, à faire ce que j'aime le plus.

Je donne tout ce que j'ai dans cette représentation et Cath est incroyable, elle aussi. Elle abandonne ce côté gamine qu'elle avait avant et est soudain absolument convaincante. Nous jouons la pièce en entier et, une fois la dernière scène finie, madame Nicol est aux anges.

- Nous allons participer à ce festival de théâtre! annonce-t-elle d'une voix triomphante. Je vous le dis!

Quand elle nous laisse tous partir à la fin de la répétition, Cath se précipite vers moi.

- Maintenant! Vas-y, dis-lui.

Madame Nicol est en train de ramasser les costumes. Pendant que Cath m'observe, je me dirige vers elle.

- Madame, je peux vous parler une minute, s'il vous plaît? je demande nerveusement.

- Est-ce que c'est vraiment important, Elle? me demande-t-elle en ajoutant plusieurs chapeaux par-dessus la pile de chaussures qu'elle a dans les bras. Je dois étiqueter tous ces chapeaux et trier une pile d'accessoires de scène.

- Eh bien, oui, ça l'est.

- OK, alors, qu'est-ce qu'il y a?

Je jette un coup d'œil autour de moi, dans l'amphithéâtre. Plusieurs personnes sont encore là à traîner.

- C'est que... c'est personnel.

Nous nous dirigeons vers son bureau. Elle lance sur sa table tout ce qu'elle avait dans les bras.

- Alors, raconte, princesse Caraboo, me dit-elle à la plaisanterie.

Maintenant que le moment est venu, je ne sais plus trop de quelle façon commencer. Madame Nicol me fait un grand sourire, en essayant sans succès de cacher son impatience.

- Alors? demande-t-elle en ramassant un chapeau pour examiner son large bord. Tu as le trac de dernière minute, c'est ça? C'est tout à fait normal. Quand j'étais à l'école de théâtre, tout le monde était sur les dents pendant au moins trois semaines avant une représentation. Plus on stresse, mieux c'est, paraît-il. Tu ne dois pas te laisser envahir. Essaie de canaliser ta nervosité et de t'en servir dans ton jeu d'actrice.

- C'est mon père.

- Il est acteur, n'est-ce pas ? Il est en Europe en ce moment ?

- Non, j'ai… menti là-dessus.

Je me sens rougir, mon visage me brûle.

- Oh, fait-elle en me regardant avec curiosité. Ah bon.

Et tout à coup, je déballe tout. Je lui raconte tout sur mon père, sur notre fuite et comment il vient de nous retrouver. Madame Nicol prend une grande respiration, puis me regarde dans les yeux.

- Ellie, tu es sûre que tout ce que tu viens de me dire est tout à fait vrai ? Tu n'exagères pas un peu ? Tu n'es pas en train de broder ?

Elle commence à radoter sur le fait qu'elle et son père ne s'entendaient vraiment pas quand elle était adolescente.

- Nous avions des disputes épouvantables, je t'assure. Mais c'est vraiment incroyable, ce que quelques années de plus et des hormones un peu moins folles peuvent faire. Nous sommes super amis, maintenant. J'ai même choisi sa maison de retraite.

Elle a un petit rire un peu cinglé et je vois bien qu'elle trouve que j'en fais beaucoup pour pas grand-chose. Même si elle me croyait, qu'est-ce qu'elle pourrait faire, je me demande soudain. Ce n'est pas pour rien qu'on l'appelle Nicol la Folle. Le bleu sur mon bras me fait mal, mais ça ne servirait à rien de le lui montrer.

- Laissez tomber, lui dis-je. Je dois y aller. Je suis désolée, madame, vous avez raison, j'aurais dû me taire.

- Elle? m'appelle-t-elle.

- Ellie. Je m'appelle Ellie.

Je me précipite hors de son bureau, je traverse la cour d'école et passe le portail. Ce n'est qu'au moment où je suis presque arrivée à la caravane que je me rends compte que j'ai oublié mon sac dans le couloir.

CHAPITRE 56

⇛ Grâce ⇚

Je ne rentre pas directement à la maison après l'école. Mon cerveau tourne à cent milles à l'heure, et des pensées concernant Ryan, papa, maman et Ellie s'entremêlent. Je me dirige vers la plage, espérant que l'air frais de la mer me permette de respirer, pour que cette impression de suffocation disparaisse. Le vent est fort, mais le soleil me réchauffe alors que je marche le long du chemin de la falaise et m'assois sur le banc où Ryan et moi nous sommes reposés le jour où il a secouru Bruno. L'idée de le laisser tomber ce soir me tourmente, mais le fait de savoir que je ne le reverrai jamais m'est carrément insupportable.

Désespérée, je me penche par-dessus la falaise pour jeter un œil et frissonne, refusant de laisser s'imposer les horribles pensées qui sont en train de se creuser un chemin dans ma tête. Elles me chuchotent que, si je faisais juste quelques pas, tout serait fini en quelques secondes... alors que rentrer à la maison avec papa, c'est une condamnation à vie.

Du coin de l'œil, je vois deux têtes noires danser dans les vagues. Ce sont les phoques sirènes, qui pleurent des perles. Ils nagent autour des rochers sans se soucier de rien. Qu'ils sont chanceux! Je reste assise là à les regarder pendant une éternité et je ne me rends pas compte tout de suite qu'il est tard et que je devrais être à la maison.

Je me dépêche de rentrer, en paniquant légèrement parce que je sais que papa sera fâché. Dans la caravane, maman est en train d'empaqueter nos dernières affaires. Ellie est là, mais il n'y a pas le moindre signe de papa.

– Il a dû conduire la voiture dans un garage en ville, me dit-elle, sortant rapidement la courtepointe de grand-mère d'un compartiment situé sous l'un des bancs.

Elle la plie et la range soigneusement au fond de son sac fourre-tout.

– Il sera de retour dans une demi-heure.

La porte de la caravane s'ouvre d'un coup. Papa entre et maman tend la main rapidement pour attraper son sac.

– Qu'est-ce qu'il y a là-dedans ? demande-t-il d'un ton soupçonneux en voyant le visage paniqué de maman.

– Juste quelques bricoles, répond-elle joyeusement, au garde-à-vous mais évitant son regard.

Il lui arrache le sac des mains et le renverse pour le vider. Son expression s'assombrit quand il voit la courtepointe.

– Et qu'est-ce que ça fiche ici, ça ?

Maman nous jette un coup d'œil, à Ellie et moi, pour nous prévenir de ne rien dire.

– Alors ? J'attends !

– Je... Je suis allée la reprendre dans la poubelle.

Maman tremble, maintenant.

– Oh, vraiment ? Et qui t'a donné la permission de faire ça ? Pourquoi penses-tu que je l'avais jetée, hein ?

Il chiffonne la courtepointe en boule, quand, tout à coup, le téléphone de maman sonne. Elle le regarde sonner avec surprise, sans répondre.

– Tu as plein de petits secrets, hein ? Tu t'es trouvé un nouveau petit copain, aussi ?

Il attrape le téléphone et y répond.

– Oui, fait-il sèchement.

Pendant qu'il écoute la personne qui parle au bout du fil, il prend une expression surprise. Quand il parle de nouveau, sa voix est devenue agréable et chaleureuse.

– J'ai bien peur qu'elle ne soit pas là pour l'instant. Puis-je lui faire un message ?... Demain ?... Et c'est à quel sujet ?... D'accord. Demain, alors. Au revoir.

Il raccroche et regarde maman.

– Une certaine mademoiselle Tardif veut te rencontrer demain, à l'école.

Il nous fixe, Ellie et moi.

– Qu'est-ce qui se passe ?

– Grace a eu des problèmes parce qu'elle avait séché sa retenue il y a quelques semaines, fait Ellie. Maman l'a déjà rencontrée une fois.

– Grace en retenue ! La *Drama Queen*, là, je pourrais comprendre, mais Grace ?

Il agite l'index en direction de maman.

– Tu vois ce que tu as fait, en amenant mes enfants dans cette poubelle ? À la maison, elles se conduisaient bien !

– Je suis désolée, Adam, balbutie maman.

– Elle a l'air d'une vieille saleté. J'espère qu'elle va bien te sonner les cloches, jette-t-il à Grace.

– Mais... nous ne rentrons pas à la maison ce soir? demande Ellie.

– Voilà, ça, c'est un autre problème, lâche-t-il en s'en prenant de nouveau à maman. Ce stupide garage attend de se faire livrer plusieurs pièces de moteur. Je ne peux pas récupérer la voiture avant demain soir. À cause de toi, je vais devoir manquer encore une journée de travail.

Il lance la courtepointe à travers la pièce, où elle atterrit en tas froissé près de Bruno, qui gémit. Tout comme nous, la courtepointe aura très bientôt disparu d'ici. Papa va s'en débarrasser et, cette fois, il va s'assurer que nous ne pourrons pas la récupérer.

Je la regarde, en tas sur le sol, et ça me rend triste jusqu'à ce que je me rende compte que papa est arrivé trop tard. Nous avons déjà entendu les histoires de la courtepointe. Elles ne sont plus secrètes, elles font maintenant partie de nous. Une vague de triomphe me submerge. Je reste immobile près de maman et d'Ellie, mais intérieurement je danse, parce que je sais que papa ne pourra jamais nous enlever ces récits. Demain, nous devrons repartir avec lui, mais nous sommes encore ici pour les prochaines vingt-quatre heures. Je n'ai pas besoin de plus de temps pour fabriquer une autre histoire, une histoire rien qu'à moi.

CHAPITRE 57

❧ Ellie ❧

Maman a préparé un pâté à la viande pour le souper. Je m'assois bien droite à table, en faisant attention de ne pas cogner mes genoux contre ceux de papa. J'attrape plutôt des crampes dans les jambes.

- C'est ton plat préféré, dit maman, pleine d'espoir que, peut-être, son assiette le calme un peu.

- La croûte est brûlée, marmonne-t-il en mangeant tout de même.

Je fais de mon mieux pour ne pas faire tomber des petits pois ou des miettes sur la table, pour que papa n'ait aucune raison de me crier dessus, mais Grace ne fait que pousser la nourriture dans son assiette du bout de sa fourchette. Maman lui envoie un regard d'avertissement.

- Tout va bien, ma chouette? lui demande-t-elle doucement.

Grace baisse la tête et ne répond pas.

- Je parie qu'elle est inquiète pour la rencontre avec mademoiselle Tardif, profère papa. Et tu as raison de t'inquiéter, ma petite. Récolte ce que tu as semé, tiens, et une fois que tu auras eu ta leçon, on pourra retrouver notre ancienne Grace en rentrant à la maison. Maintenant, finis ton assiette.

Elle pose sa fourchette, se frotte le ventre et fait une grimace.

- Je crois qu'elle ne se sent pas très bien, Adam. C'est probablement ses... tu sais. Est-ce que tu veux aller t'allonger, Grace?

Elle hoche la tête, puis file dans notre chambre.

- Satanées femmes! Il y a toujours quelque chose, avec vous! conclut papa en enfournant une autre bouchée de pâté à la viande.

Aussitôt que j'en ai l'occasion, je vais retrouver Grace dans notre chambre. Elle est allongée sous ses couvertures, alors qu'il fait chaud dans la pièce.

- Qu'est-ce qu'il y a?

En faisant de grands mouvements des yeux, elle me fait comprendre que je dois fermer la porte. Quand c'est fait, elle saute sans bruit de sa couchette. Elle ne porte pas son uniforme scolaire, elle a mis sa robe hippie à fleurs préférée et son chandail rose framboise. En silence, elle prend son uniforme et son sac d'école et façonne une forme dans son lit, avant de la recouvrir de sa couverture.

Elle prend son violon et son archet et ouvre la fenêtre.

- Tu n'es au courant de rien, OK? Tu penses que je dors, sous les couvertures, insiste-t-elle. Je rentre dès que possible.

- Papa va te tuer s'il s'en rend compte.

Elle me regarde, tout à fait sérieuse.

- Ç'aura valu la peine.

Précautionneusement, elle se faufile par la fenêtre et atterrit par terre. Elle soulève sa jupe d'une main et, ses longs cheveux flottant dans le vent, elle court vers la plage. Dans ma tête, je crie: «Cours, Grace, cours!»

Je me glisse en silence dans la pièce d'à côté. Papa est en train de regarder un film à la télé pendant que maman fait la vaisselle. Sa main tremble quand elle pose délicatement l'assiette qu'elle vient de rincer sur le support à vaisselle, et l'assiette glisse et tombe par terre dans un grand fracas.

- Mais bon sang, l'empotée! hurle papa. Tu n'es même pas capable de faire la vaisselle?

Maman ne répond rien, et pose la prochaine tasse rincée aussi doucement que s'il s'agissait d'une grenade.

- Comment va Grace? me demande-t-elle doucement quelques minutes plus tard.

- Je crois qu'elle s'est endormie.

- J'essaie de regarder cette émission! grogne papa sans détourner les yeux de la télé. Ce qui vaut mieux, parce que, comme ça, il ne voit pas mon petit sourire secret.

Tout à coup, la caravane résonne d'une musique. Papa se retourne pour encore réprimander maman, mais il se rend compte que le bruit vient du dehors.

- Bon sang, c'est quoi, ce vacarme? demande-t-il en regardant par la fenêtre.

CHAPITRE 58

⋙ Grâce ⋘

La plage est noire de monde. La scène est illuminée d'ampoules colorées qui lancent leur lumière sur la foule, l'éclaboussant de rouge, de vert et de bleu. Toute l'école et la moitié de la ville sont là. Je serpente entre les groupes de gens, cherchant Ryan. Je le repère enfin tout au bout, en compagnie de Kev et de Daniel qui ont l'air complètement démoralisés. Ryan me cherche des yeux dans la foule.

Je lui fais signe, et il finit par me voir. Il donne un petit coup de coude aux autres, qui sourient de soulagement, et il se précipite vers moi.

– Je savais que tu viendrais, me chuchote-t-il en me prenant la main. Tu as froid.

Je tremble. Mais pas de froid.

– Nous sommes les prochains, dit-il en m'entourant de sa veste. Viens vite !

Il m'entraîne vers l'endroit où Kev et Daniel attendent et nous partons tous ensemble vers l'arrière de la scène, que nous atteignons exactement au moment où le premier groupe termine son dernier morceau.

Ils descendent de scène en bondissant, puis l'animateur de la soirée fait un discours sur l'importance du centre de sauvetage en mer, et sur l'argent qui sera récolté ce soir et permettra d'aider à faire fonctionner le centre. Pendant ce temps, nous nous installons rapidement sur scène pour nous préparer à jouer.

– Et maintenant... On applaudit notre premier groupe local de la soirée... Les Dégâts !

Nous commençons notre premier morceau et, dès les premières secondes, la foule nous adore. Juste devant la scène, un peu à droite, je vois le père de Ryan avec les jumeaux assis sur ses genoux.

Les deux petits garçons me font des signes frénétiques sans s'arrêter, même quand je leur articule en silence « salut ! » et leur fais un gros sourire. Le père de Ryan a les larmes aux yeux et aussi un grand sourire. Je regarde Ryan, qui lui sourit aussi fièrement.

Nous venons de commencer notre deuxième morceau, qui est aussi le dernier, quand, soudain, mon cœur fait un bond. Je viens de repérer quelqu'un, au loin, qui arrive du camping de caravanes. Même dans la faible lueur de la lune, je vois que c'est papa. D'une minute à l'autre, il va me reconnaître.

Ma première pensée est de courir pour sortir de scène avant qu'il me voie, et d'essayer de rentrer à la caravane d'une manière ou d'une autre, sans me faire repérer. Je regarde Ryan qui me sourit en retour sans se rendre compte que quelque chose ne va pas. Je prends une grande respiration et ne bouge pas. En continuant de jouer, je regarde papa se frayer un chemin à travers la foule, se rapprochant toujours davantage jusqu'à ce que j'aperçoive son visage, dur comme du béton. Et maintenant, il est juste là, devant la scène. Il a un sourire figé, mais il me foudroie du regard, tandis que la foule réclame un rappel.

– C'était fantastique! Allez, les Dégâts, encore un morceau, demande l'animateur.

Papa fait un mouvement de tête pour me faire comprendre que je dois sortir de scène.

Je le fixe, puis coince mon violon – le violon de mon grand-père – sous mon menton, attrape l'archet et recommence à jouer le morceau. Cette fois-ci, je joue en l'honneur de grand-père, et puis de maman, d'Ellie et de moi. Je joue plus fort et de façon plus assurée que la fois d'avant. Je joue avec une attitude de défi. La musique surpasse tout, et plus rien d'autre ne compte. Je regarde la foule et comprends soudain que tout le monde est en train de danser – tout le monde sauf papa. Je me sens en sécurité tant que je joue et je voudrais que ça dure pour toujours. Mais bien trop vite, c'est terminé.

Quand nous descendons de scène, papa m'attend à quelques mètres de là.

– Je dois y aller, dis-je à Ryan.

– Qu'est-ce qu'il y a?

– Mon père est là.

– Oh, je vais aller lui dire bonsoir.

– Non, surtout pas! Une autre fois...

Je me mords la lèvre. Il n'y aura pas de prochaine fois. D'ailleurs, bientôt, il n'y aura plus de Ryan dans ma vie. Je prends une grande respiration et je me dépêche d'aller retrouver papa.

Ryan a l'air étonné, mais lui fait tout de même un signe de la main. Papa lui fait un petit sourire forcé et lui rend son salut tout en m'attrapant par le bras. Ses doigts me serrent comme un étau et me rentrent dans la peau. Il ne me regarde pas.

– Je te le dis : tu viens de le plaquer, m'annonce-t-il doucement, en continuant de hocher sympathiquement la tête en direction de Ryan.

Il lui fait un dernier signe de la main avant de me tirer à travers la foule en direction des caravanes. Je sais qu'il est furieux, parce qu'il ne me chicane même pas. Il ne dit pas un mot. Soudain, une voix que je connais résonne derrière nous.

– Monsieur Smith, je suppose ?

Surpris, papa regarde autour de lui, et la silhouette familière de mademoiselle Tardif sort de l'ombre.

– Je suis mademoiselle Tardif. Nous nous sommes parlé plus tôt, au téléphone.

– Oh oui, bien sûr.

Il est en mode charmeur, il lui lance un sourire éclatant et ajoute :

– Ravi de vous rencontrer.

– Ravie également.

– Quel concert fantastique, et pour une cause tellement importante ! Que ferions-nous sans nos canots de sauvetage, hein ?

– Effectivement... Vous ne restez pas, alors ?

Il pousse un soupir de déception.

– Grace ne se sent pas très bien. N'est-ce pas, ma chouette ?

Je secoue la tête.

– Quel dommage.

Mademoiselle Tardif me regarde attentivement, maintenant. Mon estomac se retourne, j'ai la nausée. Je dois avoir
affreusement mauvaise mine.

– Une bonne nuit de sommeil et il n'y paraîtra plus, ajoute
papa chaleureusement.

– Bien sûr. Donc, je rencontre votre femme demain.

Il lance alternativement des petits coups d'œil à mademoiselle Tardif puis à moi, et je sais qu'il a des soupçons.

– J'ai entendu dire que Grace a eu des petits problèmes,
fait-il en me lâchant le bras et en passant le sien autour de
mes épaules.

– Grace et moi avons eu quelques soucis depuis son
arrivée, oui, mais il y a plusieurs choses dont j'aimerais
discuter.

Mademoiselle Tardif le regarde droit dans les yeux. Comme
un joueur de poker, elle ne trahit pas ses intentions.

Papa grimace.

– J'ai bien peur que ce ne soit pas possible, finalement.
Voyez-vous, nous partons demain.

– Vous partez ? demande mademoiselle Tardif, l'air surprise.
Je n'étais pas au courant !

– C'est complètement inattendu pour nous aussi. Nous
avions espéré nous installer ici de façon permanente, mais ça
ne sera finalement pas possible. Mon nouveau travail n'a pas

marché. Les filles sont atrocement déçues – nous le sommes tous –, mais c'est comme ça...

– C'est d'autant plus important que votre femme passe me voir, alors... Je vais informer le directeur et nous allons nous occuper des papiers de transfert pour leur prochaine école.

– Je ne suis pas sûr que nous aurons le temps, nous avons beaucoup de choses à emballer et...

– Ce ne sera pas long et cela donnera l'occasion aux filles de dire au revoir à tous leurs amis.

Elle lance un regard à papa.

– À moins que cela vous pose un problème.

Les coins de la bouche de papa sursautent un peu, mais son sourire s'élargit encore.

– Grand dieu, non... C'est correct. Absolument correct. Je suis sûr que nous réussirons à tout faire, finalement.

– Je te vois demain en cours, alors, Grace, me lance-t-elle en hochant la tête avec autorité tandis que papa m'entraîne rapidement vers le camping.

– Tu as parlé, n'est-ce pas, siffle-t-il quand nous sommes hors de portée de voix.

Ses doigts s'enfoncent dans mes épaules.

– N'est-ce pas ?

Je secoue la tête violemment. Il accélère, et il me tire à moitié maintenant.

– C'était ta sœur, alors ? Toujours à raconter des histoires. J'aurais dû me douter qu'elle ne saurait pas fermer sa grande bouche.

CHAPITRE 59

Papa se rue dans la caravane en tirant Grace derrière lui comme une poupée de chiffon.

Il lui arrache le violon de grand-père des mains et le lance contre le poêle, le brisant en mille morceaux, puis il casse l'archet sur sa cuisse et le jette dans le coin de la pièce, par-dessus la courtepointe.

Nous le regardons, indignées. Les yeux de Grace se remplissent de larmes, mais elle n'ose pas aller ramasser les morceaux. Aucune de nous ne bouge. Bruno se met à gémir, et la caravane est secouée par le vent. Papa attrape Bruno par le collier pour le traîner à l'extérieur.

- Demain, un seul mot de travers, lance papa d'un ton hargneux, un mot, un seul, et je te tue, menace-t-il maman.

Il se tourne vers Grace et moi.

- Vous avez bien entendu? C'est clair?

- Oui, papa, je réponds, tandis que Grace articule les mêmes mots en silence.

- Maintenant, disparaissez!

Nous nous précipitons dans notre petite chambre et fermons la porte derrière nous. Je ne demande pas à Grace ce qui s'est passé. Je le sais déjà. Elle s'assoit, tremblante, sur la petite couchette. Je passe mon bras autour de ses épaules et lui chuchote que tout va bien aller. Je ne crois pas en ces mots que je me force à prononcer. Je serre Grace très fort dans mes bras, sans arriver à la faire cesser de trembler.

Nous n'arrivons pas à dormir. Nous attendons. Nous écoutons. Nous espérons et prions que maman aille bien, dans l'autre pièce. Dehors, j'entends Bruno gémir doucement pour rentrer. J'ouvre notre fenêtre sans faire de bruit, me penche et tends le bras vers lui. Il pose ses pattes avant contre le flanc de la caravane, et je lui chuchote des mots pour le rassurer pendant qu'il me lèche les doigts. Enfin, il s'allonge sous notre chambre, pour dormir à l'abri du vent.

Quand le jour arrive, nous nous habillons pour aller à l'école. Maman et papa sont déjà levés. Maman porte son pantalon noir, et un chemisier à manches longues et à col montant. Nous avons trop la nausée pour déjeuner, alors nous partons pour l'école.

Mon premier cours vient tout juste de commencer quand on m'appelle dans le bureau de mademoiselle Tardif. Tout le monde se retourne et me fixe pendant que je sors à la hâte de la classe, en me demandant ce qui se passe.

J'entre et vois maman assise devant le bureau, les doigts serrés nerveusement sur le sac à main qu'elle a posé sur ses genoux. Quelques secondes plus tard, Grace entre, suivie par Nicol la Folle et mademoiselle Tardif.

Madame Nicol me fait un petit sourire tandis que je m'assois, mais je n'ose pas la regarder. Mon cœur bat à tout rompre quand je me rends compte qu'elle a pris au sérieux ce que je lui ai raconté sur papa.

Mademoiselle Tardif commence à parler quand, soudain, la porte s'ouvre et papa entre.

- Oh... Je croyais que ma femme était simplement en train de récupérer des papiers, fait-il d'un ton jovial. Ça l'air beaucoup plus sérieux!

- Venez donc vous joindre à nous, monsieur Smith, lui propose mademoiselle Tardif en me jetant un coup d'œil. Je crois qu'Ellie a quelque chose à nous dire.

Il se tourne vers moi en secouant la tête.

- Oh, bon sang! C'est donc de ça qu'il s'agit. J'aurais dû le savoir. Ellie, j'abandonne!

Je me fige. Je n'ose pas dire un mot.

- Je vous demande pardon? dit mademoiselle Tardif.

- Nous avons *tellement* de problèmes à la maison avec Ellie, en ce moment, n'est-ce pas, ma chérie?

Il se tourne vers maman et la regarde. Elle hoche la tête.

- Je suis très embarrassé, mademoiselle Tardif, mais je dois admettre, pour dire les choses clairement, qu'Ellie dit des mensonges. Des fables monumentales. Et pourtant, nous avons essayé, n'est-ce pas, Karine? Oh, nous avons tout essayé, mais elle n'arrive pas à s'en empêcher. Saviez-vous que, dans sa dernière école, elle a juré ses grands dieux qu'elle était adoptée! Elle t'avait brisé le cœur, n'est-ce pas, ma chérie?

De nouveau, tous les regards se concentrent sur maman. Elle hoche encore la tête.

– C'était... bouleversant.

– Je vous avoue que nous avons même vu notre médecin. Il a dit que ça lui passerait, avec le temps. Nous attendons toujours!

Il baisse la voix et demande à mademoiselle Tardif:

– Écoutez, je sais que nous partons et que c'est un peu tard, maintenant. Pourtant, je crois que Karine et moi, eh bien, nous apprécierions tous les conseils professionnels que vous pourriez nous donner, tout ce qui pourrait nous aider, parce que, franchement, nous ne savons plus quoi faire, n'est-ce pas, ma chérie?

Pendant que maman hoche de nouveau la tête, papa se tourne vers moi et me demande d'un air las:

– Bon, Ellie, qu'est-ce que tu as raconté, cette fois?

– Euh... Rien..., je marmonne.

– Allez, Ellie, vide ton sac.

Je ne le regarde pas, mais je sens tout de même son regard me transpercer. Un lourd silence règne. Tout le monde me regarde, maintenant. Je jette un œil à maman en me souvenant que papa a menacé de la tuer.

– Je, euh... J'ai dit à tout le monde que tu étais acteur en Europe, je balbutie.

Papa éclate de rire.

– Oh, Ellie, bon sang!

Il regarde mademoiselle Tardif en ouvrant grand les yeux et explique:

— Je suis comptable. Je travaille dans un bureau. Eh bien, je suppose que c'est moins grave que ses épouvantables mensonges habituels.

— Ellie a aussi fait d'autres accusations, avance mademoiselle Tardif. Des accusations graves sur lesquelles l'école a le devoir d'enquêter, que vous partiez ou non.

— Des accusations? Vraiment? Eh bien... ça ne me surprend pas. Vous voyez avec quoi nous devons composer.

Papa secoue la tête.

— Elle a peur de vous, continue madame Nicol.

— Oh, franchement, Ellie, voyons! proteste papa dans un petit rire.

— Elle dit que vous pouvez être violent et agressif.

— Moi? Violent? Vous devez être en train de plaisanter! Ce n'est pas drôle, Ellie. Karine, peux-tu croire ce qui est en train d'arriver?

Maman secoue la tête et papa continue.

— Tu es vraiment allée trop loin, Ellie. Mademoiselle Tardif, je peux vous expliquer exactement de quoi il s'agit. Ce n'est pas parce que parfois je te gronde, Ellie, que tu peux aller raconter partout que je suis une espèce de monstre! Il faut que ça cesse. Maintenant. Avant que tu ne t'attires de vrais problèmes. Tu m'entends?

Je connais bien la tension dans sa voix.

Je jette un œil à maman et vois le désespoir sous son visage neutre.

- Écoutez, je veux admettre que je suis strict, trop strict, pourraient dire certains, continue papa en jetant un coup d'œil à madame Nicol. Honnêtement, les enfants de nos jours, surtout les enfants comme Ellie, ont besoin qu'on soit ferme. Sinon, ils font n'importe quoi. Mais ils me remercieront, quand ils seront plus vieux. Mais violent? Moi? C'est un mensonge complet. Dis-leur, Karine.

Tous les regards se reportent sur maman.

- Préférez-vous nous parler sans votre mari? lui demande mademoiselle Tardif.

- Ça m'est égal, fait papa. Absolument sans problème. Tu veux que j'aille t'attendre dehors, Karine?

- Non, ce n'est pas la peine, répond maman. Mademoiselle Tardif, Ellie est pleine d'imagination, et je crois que cette imagination la dépasse, parfois. Elle ne souhaite pas mentir, mais ça arrive tout de même. Sinon, tout va très bien à la maison. Vraiment. Il n'y a pas de problème.

- Ellie, si c'étaient des mensonges, tu vas avoir de gros ennuis, m'avertit mademoiselle Tardif.

Je jette un coup d'œil à papa. Il nous sourit, parce qu'il sait qu'il a gagné.

CHAPITRE 60

⇒⇒ *Grace* ⇐⇐

J'ai la bouche sèche comme si elle était tapissée de papier-émeri. J'essaie d'avaler ma salive, mais j'ai la gorge si serrée que j'ai l'impression de m'étouffer. Mon estomac est noué, pourtant j'ai beau avoir la tête qui tourne, je me force à lever les pieds et à avancer.

– Grace ? demande mademoiselle Tardif en me voyant osciller légèrement. Ça va ?

– Ellie dit la vérité, j'entends une voix chuchoter.

– Grace..., commence maman.

Je comprends que c'est moi qui ai parlé.

– Maman. C'est assez.

– Non... Grace, non...

– On doit leur dire ce que c'est, de marcher sur des œufs en permanence.

– S'il te plaît, ma chouette...

Ma voix devient plus forte et plus assurée avec chaque mot. J'ai l'impression de me réveiller.

– On doit expliquer qu'on était tellement terrifiées qu'on a roulé toute la nuit pour aller le plus loin possible de lui. Ils doivent savoir qu'il fallait qu'on se mette en sécurité. Et si on ne parle pas maintenant, si on ne leur dit pas, tout va recommencer.

Mademoiselle Tardif me fixe, éberluée.

– C'est ridicule! explose papa. Je n'ai jamais entendu autant de sottises de toute ma vie. Grace, qu'est-ce qui te prend?

– On dirait bien qu'elle vient de retrouver la voix, lance mademoiselle Tardif. C'est la première fois que Grace parle à un professeur, à l'école, et je crois que je comprends pourquoi, maintenant!

– Oh, franchement! proteste-t-il. Vous n'allez tout de même pas me dire que vous la croyez?

Mademoiselle Tardif sort de son sac un petit carnet à la couverture bariolée violette.

– Ellie a oublié ceci dans le couloir après avoir parlé à madame Nicol, qui a eu la gentillesse de me l'apporter. Je l'ai lu de la première à la dernière page. Son contenu m'a appris bien des choses. Ellie, montre-moi ton bras droit et explique-moi ce qui s'est passé.

Avec un regard effrayé en direction de papa, Ellie remonte sa manche et expose l'ecchymose.

– Un accident! C'était seulement un accident! crie papa avec colère. C'est ridicule.

Tout le monde regarde Ellie, maintenant. Elle recule légèrement et se mord la lèvre, avant de me regarder.

– Dis-leur! j'insiste.

– Tu m'as lancé ta tasse de thé dessus, déclare Ellie en regardant papa dans les yeux.

– Tu vas avoir de gros problèmes, la *Drama Queen*, pour avoir inventé toutes ces histoires, réplique-t-il rageusement. Attends d'être rentrée à la maison.

– Non, s'interpose maman doucement en secouant la tête.

– Comment ça, « non » ?

– Nous ne retournons pas là-bas, Adam, continue maman fermement.

– Quoi ?

– C'est fini.

– Karine, réfléchis bien à ce que tu es en train de faire.

– J'ai bien réfléchi. Les filles ont raison. J'aurais dû parler il y a longtemps, mais tu me faisais si peur que je n'en avais pas le courage. Nous nous sommes fait une nouvelle vie sans toi, et nous allons rester ici.

Le visage de papa se transforme, sa bouche se tord et dévoile ses dents.

– Très bien ! aboie-t-il. Ça me va très bien. Je ne veux plus rien savoir de vous. Vous pouvez aller en enfer, toutes les trois.

Il saute sur ses pieds et se rue hors de la pièce en bousculant mademoiselle Tardif au passage.

Maman a l'air sur le point d'éclater en sanglots. Madame Nicol lui passe le bras autour des épaules, mais elle secoue la tête.

– Je vais bien. Merci. Pour la première fois de ma vie, je vais bien.

– Et papa ? demande Ellie, effrayée.

– Madame Nicol, pourriez-vous appeler monsieur Nestor et lui demander de vérifier que monsieur Smith a bien quitté l'école ? Ensuite, conduisez les filles dans votre bureau et gardez-les là un moment. Je voudrais aller parler au directeur avec madame Smith, et nous allons devoir passer des coups de fil.

CHAPITRE 61

❧ Ellie ❧

Nous passons une heure dans le bureau de madame Nicol, puis mademoiselle Tardif arrive et nous raccompagne en classe. Elle nous explique que maman va être occupée pendant les quelques heures qui viennent, et que nous ferions mieux de continuer notre journée d'école le plus normalement possible. Genre. La dernière chose à laquelle je réussis à penser, c'est bien aux confluents et affluents, et aux verbes irréguliers en anglais. Cath voudrait savoir ce qui s'est passé, mais je suis trop bouleversée pour pouvoir lui raconter grand-chose.

Je fonds en larmes en plein milieu de la répétition générale, et madame Nicol me permet de rester dans son bureau pour la journée et d'y étudier en toute tranquillité. Grace s'y trouve déjà. Nous nous blottissons toutes les deux, nos livres devant nous, et observons craintivement le soleil dehors, en nous demandant où se trouve maintenant papa. À trois heures et demie, maman nous attend devant l'entrée de l'école avec Bruno et une dame. Celle-ci s'appelle Lisa et nous explique qu'elle travaille au foyer pour femmes, et qu'elle va aider maman.

Maman m'encourage de la tête à dire bonjour à Lisa, mais Grace regarde la rue avec méfiance.

- Tout va bien, dit maman. Il est parti. Il a pris ses affaires dans la caravane et est allé chercher la voiture au garage.

- Mais il sait où nous sommes.

- Quand ton père a récupéré la voiture, le fils de Lisa, qui travaille au garage, l'a vu partir en direction de Québec, nous explique maman.

- Mais s'il revient la semaine prochaine, ou à un autre moment?

- Nous allons devoir déménager, répond maman. Lisa pense qu'il vaut mieux que nous restions au foyer ce soir. Elle m'aidera à m'occuper de tout demain matin, et nous irons visiter quelques appartements en ville, que nous pourrions être capables de louer. Ne vous inquiétez pas. Tout va bien aller.

- Voulez-vous que j'aille à la caravane avec vous? lui demande Lisa.

- Non, merci, ce n'est pas nécessaire. Nous allons juste récupérer nos affaires et repartir tout de suite.

- D'accord, on se voit dans environ une heure, alors. Vous avez mon numéro, au besoin.

- Merci... Merci pour tout, lui dit maman.

Nous nous dépêchons de rentrer à la maison. Une brume de mer est en train de se répandre et on entend un tonnerre sourd au loin.

À la caravane, la plupart des fleurs que maman avait plantées près de l'entrée ont été piétinées, et quelques-unes ont été arrachées et lancées plus loin, sur l'herbe. Maman nous prévient que, à l'intérieur, tout est en désordre.

- Je ne voulais pas vous laisser voir ça, mais je n'avais pas le temps de tout ranger, j'avais trop de choses à faire.

Grace et moi entrons dans la caravane et jetons un coup d'œil autour de nous, consternées. Ce matin, nos sacs étaient préparés, prêts à être entassés dans la voiture avant notre départ prévu pour ce soir. Toutes nos affaires ont été sorties des sacs et lancées partout, déchirées, piétinées et saccagées.

- On fourre tout de nouveau dans les sacs et on s'en va, propose maman avec une petite grimace, en posant les clés de la caravane et son cellulaire sur la table. On triera ce qu'on veut garder au foyer.

- Oh non, je ne crois pas, dit une voix.

Je sursaute, choquée, et mon sang ne fait qu'un tour. Papa se tient dans l'encadrement de la porte, les bras tendus pour agripper le haut du cadre, comme les barreaux d'une cage. Grace et moi sommes figées, mais maman vient se placer devant nous pour nous protéger. Dehors, Bruno aboie. Papa se retourne et lui hurle de se taire, puis lui ordonne de rentrer dans la caravane. La queue entre les jambes, il obéit à contrecœur.

- Je veux que tu t'en ailles, Adam. Maintenant, déclare maman à papa d'une voix claire mais tremblante, tandis que celui-ci fait un pas à l'intérieur.

- Oh, oui, je vais m'en aller. Quand je le déciderai. C'est moi le chef, ici, ne l'oublie jamais. Ne me dis pas quoi faire. En fait, ne me dis même plus rien du tout.

Il attrape d'un geste le téléphone de maman et les clés de la caravane sur la table.

Maman essaie de l'arrêter, mais il lui donne un coup de poing. Son nez se met à saigner, elle titube et tombe contre le mur, ce qui ébranle la caravane. En gémissant et à moitié assommée, elle essaie de se relever.

- Sors ! hurle Grace à papa pendant que je me précipite auprès de maman pour l'aider.

Il fait un pas en dehors de la caravane. Grace essaie de fermer la porte derrière lui, mais il la maintient ouverte du pied, et repousse Grace. Il attrape un gros bidon rouillé et verse ce qui ressemble à de l'eau sale sur le tapis qui recouvre le sol de la caravane.

Tandis qu'une épouvantable odeur d'essence se répand, il allume un briquet et le lance en l'air en direction du tapis trempé. Un mur de flammes monte instantanément et papa referme rapidement la porte. Grace attrape la poignée et essaie frénétiquement d'ouvrir la porte, mais nous entendons un bruit de clé tournant dans la serrure.

J'essaie de piétiner les flammes pour les éteindre, sans succès. En quelques secondes, le feu s'est propagé partout et une fumée noire commence à envahir la caravane. Le détecteur de fumée hurle encore et encore. Bruno saute partout, terrifié. Tandis que maman se remet péniblement sur pied, je me jette sur la fenêtre et essaie d'ouvrir le loquet, mais il est bloqué.

Grace essaie une autre fenêtre.

- Elles sont verrouillées! je hurle en tapant des poings sur la vitre. On ne peut pas sortir!

Dehors, nous voyons Suzanne sortir de sa caravane, comprendre que quelque chose ne va pas et se précipiter vers nous. Je crie, je hurle. Bruno aboie comme un fou. Grace prend la courtepointe, par terre. Elle l'enroule autour de ses jambes, s'adosse fermement contre l'arrière du banc, et se met à donner de violents coups de pied contre la vitre.

- Ellie, viens m'aider! me hurle-t-elle.

Je m'assois près d'elle, et nous continuons de taper de toutes nos forces jusqu'à ce que la fenêtre cède. Un vent froid et vigoureux s'engouffre et vient alimenter et propager les flammes.

- Vite!

Toussant et crachotant, nous tirons et poussons maman jusqu'à la fenêtre, puis nous l'aidons à sortir avant de nous hisser à notre tour par l'ouverture et de tomber dans l'herbe près d'elle. Bruno saute aussi hors de la caravane, et s'enfuit. Je l'appelle, mais le vent emporte ma voix. Toute la caravane est ravagée par les flammes, maintenant.

- Vous n'êtes pas blessées? demande maman.

- Non, ça va, lui répond Grace, tandis que Suzanne appelle les urgences sur son cellulaire.

Bruno disparaît sur le chemin qui mène aux pierres, et je me lance à sa poursuite.

- Ellie ! Non, attends ! m'appelle Grace en courant derrière moi. J'ai vu papa s'enfuir par là.

- Je m'en fiche, je lui réponds en criant, tandis que, devant nous, un immense éclair fend le ciel. Bruno est terrifié, je dois aller le chercher.

- Je viens avec toi, me répond-elle.

Au moment où nous arrivons au cercle de pierres, un assourdissant grondement de tonnerre résonne. Bruno est recroquevillé contre la plus grande des Jeunes Filles, les yeux agrandis par la peur. Les cheveux sur ma nuque se hérissent et je sens le picotement de l'électricité dans l'air quand un autre éclair tombe du ciel.

- Tout va bien, dis-je à Bruno en m'accroupissant près de lui et en le caressant doucement.

Soudain, une ombre noire me tire d'un coup sec vers l'arrière. Je me retourne et tombe nez à nez avec papa. Je hurle et me débats comme une folle, mais il me tient fermement. Grace se précipite vers nous et lui donne des coups sur le dos pour qu'il me lâche.

Au moment où il se tourne pour empoigner aussi Grace, je lui donne de grands coups de coude et lance mes pieds en arrière de toutes mes forces. Il hurle de rage et me lâche une seconde. Grace et moi nous précipitons derrière une Jeune Fille. Papa jure avec colère, bien décidé à nous attraper. La haute roche grince en bougeant un peu d'avant en arrière, comme une dent sur le point de tomber. Grace pousse un grand cri, et me tire brusquement en arrière alors que la pierre bascule.

Au lieu de l'éviter, papa essaie avec irritation de la repousser sur le côté, mais elle est beaucoup plus lourde qu'il le croyait. La roche s'écrase contre lui, le faisant tomber au sol où elle l'écrase. Du sang commence à imbiber sa chemise, formant une tache rouge vif.

- Papa! je hurle.

Il ne répond pas. Je suis convaincue qu'il est mort quand je vois ses doigts bouger légèrement et l'entends gémir. Il est gravement blessé. Je m'accroupis et essaie de soulever la pierre. Elle est beaucoup trop lourde.

- Grace, aide-moi!

Elle hésite un instant, puis se met à genoux à côté de moi et, ensemble, nous réussissons à faire rouler la pierre et à la déplacer à côté de lui.

Grace enlève son cardigan, le roule et le place doucement sous sa tête.

- Il faut qu'on aille chercher de l'aide.

Comme si on nous avait entendues, nous percevons des sirènes qui se rapprochent. Nous dévisageons papa, et ses yeux ouverts et remplis de peur nous inquiètent.

- Tout va bien. Ne bouge pas, lui dis-je alors qu'il respire bruyamment.

Je prends sa main dans la mienne, et je suis déconcertée parce qu'elle est souple et blanche et molle, pas du tout comme le dur poing avec lequel il tapait et battait maman.

CHAPITRE 62

⋙ Grâce ⋘

Finalement, nous n'avons pas besoin d'aller chercher de l'aide. C'est l'aide qui nous trouve, maman la première.

Ellie éclate en sanglots quand elle la voit.

– Pourquoi nous déteste-t-il tellement ? demande-t-elle à maman, qui est en train de vérifier le pouls de papa.

Ses yeux sont fermés et il a l'air inconscient.

– Je ne sais pas, ma chérie, lui répond maman.

– Mais qu'est-ce qu'on lui a fait pour qu'il soit si en colère tout le temps ?

– Rien. Vous n'avez rien fait.

– Mais pourquoi, alors ?

Papa ouvre les yeux.

– Il me battait, murmure-t-il.

Maman, Ellie et moi échangeons des regards, perplexes.

– Qui ? lui demande Ellie.

Il referme les yeux lentement et il ne se passe plus rien pendant un bon moment. Enfin, ses lèvres bougent. Au début, aucun mot ne sort et nous restons juste là, assises en silence. Puis il a un grand frisson et parle d'une voix rauque.

– Je me cachais, mais il me trouvait toujours. Elle lui disait où j'étais.

– Qui te battait, papa ? lui redemande Ellie.

– Mon père.

Il chuchote d'une voix si basse qu'on l'entend à peine.

J'ai la gorge serrée. Nous ne le savions pas. Papa disait toujours qu'il avait eu des parents parfaits. Pourquoi ne nous avait-il pas dit la vérité ? Je regarde maman – est-ce qu'elle le savait ? Je vois sur son visage que non. Des larmes font des traces sur ses joues et se mélangent au sang et à la saleté.

– Tu aurais pu agir différemment avec nous, Adam, dit-elle. Tu avais le choix. Tu n'avais pas à répéter l'histoire.

Il ne répond pas, et reste allongé là, sans pouvoir bouger, tandis que quatre policiers arrivent, l'un armé de ce qui ressemble à un pistolet. Ils nous demandent de nous éloigner de papa et l'avertissent de ne pas bouger, sinon ils utiliseront leur pistolet paralysant.

– Il ne peut pas bouger, il est blessé, leur explique Ellie, mais ils n'écoutent pas.

On nous éloigne et on nous raccompagne rapidement vers le camping. Nous restons à une certaine distance et observons les pompiers éteindre les flammes qui ravagent notre caravane. Quelqu'un nous pose sur les épaules la courtepointe de grand-mère, abîmée et sale. Maman, Ellie et moi nous blottissons dessous avec Bruno, en frissonnant dans la pluie, tandis que l'orage s'éloigne en grondant.

Stan arrive et maman lui explique qu'elle est désolée de ce qui est arrivé.

– J'aurais dû faire bien plus, marmonne-t-il en secouant la tête. Dès que je vous ai vues, je savais que quelque chose n'allait pas. Je n'aime pas me mêler de ce que font les autres, en fait. C'est bien le problème. J'étais trop occupé avec mes propres petites affaires.

– Ce n'est pas votre faute, le rassure maman.

– Non, mais j'aurais pu vous aider. Plus il y a de gens au courant de ces choses-là, mieux c'est.

Suzanne nous emmène dans sa caravane où elle nous prépare des boissons chaudes avec un des policiers. Nous nous assoyons pour boire du thé sucré avec du miel et répondons aux questions du policier pendant que la pluie crépite sur le toit. Une heure plus tard, il nous conduit au poste de police où nous racontons de nouveau notre histoire et répondons à de nouvelles questions, ainsi qu'aux questions qu'on nous a déjà posées, encore une fois.

Quand Stan arrive, il est tard. Maman le remercie et lui dit que nous pouvons aller au foyer, mais il insiste pour nous emmener passer la nuit chez lui. Maman appelle le foyer pour leur expliquer ce qui s'est passé, puis Stan nous conduit chez lui, où Daphné nous attend. Elle nous serre dans ses bras, l'une après l'autre, donne de l'attention à Bruno, puis demande à Ellie et à moi de la suivre dans une chambre d'amis, avant d'en indiquer une deuxième à maman.

Je ne me rends compte de ma fatigue qu'en posant ma tête sur l'oreiller. Je regarde Ellie, mais elle dort déjà profondément.

Quand je me réveille, c'est l'heure du dîner, d'après ma montre, pourtant je sens une odeur de bacon en train de frire. Comme Ellie dort encore, j'essaie de me glisser hors du lit sans bruit. Elle m'entend tout de même et ouvre les yeux. Elle regarde, l'air perplexe, la longue chemise de nuit rose qu'elle porte, puis son regard tombe sur celle que je porte, semblable, mais bleu pâle. Dehors, dans le jardin, la courte-pointe de grand-mère sèche au vent sur la corde à linge, avec les vêtements que nous portions hier soir.

– Ça va ? je demande à Ellie.

Elle hoche la tête lentement, et quelqu'un frappe à la porte. C'est maman, dans une robe de chambre en molleton jaune pâle appartenant à Daphné.

– Quelqu'un est venu nous voir, nous annonce-t-elle doucement.

J'échange un regard avec Ellie. Nous pensons que nous allons encore devoir répondre à des questions, quand j'aperçois un visage connu derrière maman.

– Tante Anna ! s'exclame Ellie.

– Karine m'a téléphoné tard hier soir. J'ai sauté dans ma voiture, et me voici, nous explique-t-elle en nous serrant toutes les deux dans ses bras. Par bonheur, vous n'avez rien.

Daphné nous invite à les rejoindre dans leur salle à manger ensoleillée, où elle a dressé la table pour le déjeuner. Nous nous assoyons tous ensemble pour manger, et discutons pendant environ deux heures.

Maman s'excuse auprès de tante Anna de ne pas être restée en contact et éclate en sanglots. Anna la serre dans ses bras et se met également à pleurer, en lui disant qu'elle ne doit pas être désolée, qu'elle-même aurait dû faire davantage, parce qu'elles étaient sœurs, et le seront toujours. Bientôt, tout le monde pleure, sauf Stan qui se mouche juste plusieurs fois dans un grand mouchoir blanc, avant de disparaître dans la cuisine où il dit qu'il va préparer du café.

Quand maman a terminé de raconter à tante Anna tout ce qui s'est passé, elles se mettent à parler d'une époque plus heureuse, quand elles venaient ici en vacances avec grand-père et grand-mère. Elles nous parlent des phoques qu'ils allaient observer, et des pique-niques sur la plage, où ils faisaient griller des guimauves sur un petit feu de bois. Elles nous racontent aussi le concours de talents farfelu organisé en ville et que maman et tante Anna avaient gagné en chantant ensemble, vêtues de robes roses identiques. Bien vite, plus personne ne pleure et la pièce résonne d'éclats de rire.

CHAPITRE 63

Anna annonce à maman qu'elle va prendre une semaine de congé et rester ici avec nous. Nous passons le reste de la journée chez Stan et Daphné. Le sujet de l'école n'est même pas abordé. Vers la fin de l'après-midi, maman et Anna s'absentent pendant quelques heures. À leur retour, maman nous apprend que, avec l'aide de Lisa, elles ont trouvé un petit cottage déjà meublé que nous allons louer, et dans lequel nous allons emménager dès ce soir.

Daphné et Stan nous accompagnent, avec des sacs de plastique remplis de nourriture et d'articles essentiels comme du shampoing, du savon et des brosses à dents. Lisa nous rejoint une heure plus tard avec des draps, des serviettes de toilette et un sac de vêtements. Le foyer nous donne tout cela, puisque nous n'avons plus rien d'autre que les habits que nous portions hier et la courte-pointe de grand-mère. Tout le reste a brûlé dans l'incendie.

À l'étage du cottage, il y a deux chambres, et le rez-de-chaussée comprend une salle de bains, qui communique avec la cuisine, et un petit salon confortable. Il ne nous faut pas longtemps pour déballer ce que nous avons apporté et nous installer. Anna et maman accrochent la courtepointe dans le salon, où elle recouvre presque tout un mur. Bruno renifle tous les coins de toutes les pièces, avant d'aller s'étirer joyeusement sur le tapis du salon, devant le poêle à bois. Après avoir passé tant de semaines dans une minuscule caravane, nous avons l'impression que ce petit cottage est en fait un manoir.

Le lendemain, Grace et moi retournons à l'école, nos uniformes bien lavés et débarrassés de la saleté et de l'odeur de fumée. En arrivant dans la cour, Grace aperçoit Ryan et se précipite vers lui. Je repère Cath, en train de bavarder avec Abi, Rose, Stéphanie et Florence. Dès qu'elle m'aperçoit, elle me fait des signes énergiques de la main et elles courent toutes vers moi.

- Comment ça va? me demande Abi. Nous avons entendu toutes sortes d'histoires.

Je hoche la tête.

- C'est grâce à Cath que je vais bien. C'est elle qui m'a poussée à aller parler de mon père à madame Nicol.

- Est-ce qu'il a vraiment mis le feu à votre caravane? me questionne Stéphanie.

J'acquiesce lentement, en prenant enfin conscience que papa a réellement essayé de nous tuer.

- Tu as dû être terrifiée, fait remarquer Rose.

- C'était atroce.

- Qu'est-ce qui va lui arriver? me demande Abi.

- Il est à l'hôpital, il a des côtes cassées, entre autres, mais la police va l'arrêter.

- Est-ce que tu vas le revoir un jour? m'interroge Florence.

- Je ne sais pas. Je ne suis pas sûre d'en avoir envie. Pas après ce qu'il nous a fait.

- Mais vous ne repartez pas vivre à Québec, n'est-ce pas?

- Non, nous restons ici. Nous nous sommes installées dans un petit cottage en ville, hier soir.

- C'est super, lance Cath.

- Ouais, tu nous aurais vraiment manqué si tu étais partie, n'est-ce pas, les filles? ajoute Rose, et les autres acquiescent toutes.

- Je suis vraiment désolée de vous avoir raconté tellement de mensonges, je leur avoue sans oser les regarder en face.

- Tu aurais dû nous raconter ce qui se passait. Nous sommes tes amies, explique Abi.

- Je sais. Je suis désolée.

Je baisse la tête.

- J'avais honte et j'étais gênée. Et je le suis encore, d'ailleurs.

- Mais ce n'est pas ta faute! proteste Stéphanie. Ce n'est pas toi qui dois avoir honte!

- Pendant longtemps, je me suis sentie coupable, mais je sais maintenant que je ne le suis pas.

La cloche sonne et nous entrons ensemble dans l'école. Dans le couloir, nous croisons JP, qui nous lance un regard mauvais.

- Je l'ai laissé hier, me chuchote Cath. Tu avais vraiment raison, Ellie. Mon prochain petit copain va me faire rire, il ne rira pas de moi tout le temps.

Elle fait une petite pause, puis ajoute:

- Qu'est-ce que tu penses de Kev, celui qui joue dans le groupe avec Ryan?

CHAPITRE 64

≫ Grâce ≪

– Est-ce que tu vas bien ? me demande Ryan. Madame Williams a raconté à papa que quelqu'un a mis le feu à votre caravane. Qu'est-ce qui s'est passé ?

Je lui raconte tout. Il m'écoute, secoué.

– Tu aurais dû me parler de ton père avant, me dit-il enfin.

– Je sais. Ce qui est stupide, c'est que je ne faisais confiance à personne.

– Mais tu me fais confiance, maintenant ?

– Totalement.

Il se penche vers moi pour m'embrasser. Mes genoux se mettent à trembler, comme ils sont censés le faire.

– Ryan Baxter, c'est assez, maintenant ! aboie quelqu'un derrière nous.

C'est mademoiselle Tardif. Ryan l'ignore et termine son baiser.

– Selon ma devise, « pas de tolérance », je devrais vous envoyer tous les deux en retenue cet après-midi, lance-t-elle sèchement. Mais, étant donné les circonstances, vous êtes excusés.

Sa voix s'adoucit.

– Comment vas-tu, Grace ?

– Je vais bien, mademoiselle, merci.

– Je suis contente que tu sois de retour à l'école. Je n'aime jamais voir un élève glisser à travers les mailles du filet. Bon. Tu sais où se trouve mon bureau. S'il y a quoi que ce soit, dans le futur, tu viens me voir tout de suite. C'est compris ?

– Oui, mademoiselle.

– Je suis sérieuse. On m'appelle peut-être le vieux dragon, mais ce vieux dragon est dans ton camp. Et je mords très fort. N'oublie pas ça.

– Merci, mademoiselle.

– Mademoiselle Tardif.

– Merci, mademoiselle Tardif.

– Ton cas n'est donc pas désespéré, commente-t-elle en nous contournant pour s'éloigner.

Et elle a raison. Il y a de l'espoir. Jour après jour, les choses s'améliorent, jusqu'à ce que je n'aie plus la nausée et que je ne me referme plus sur moi-même dès que je dois parler à quelqu'un. Je rattrape le temps perdu. Hier, pendant la pause du dîner, Ellie s'est plainte de ne plus réussir à placer un mot, maintenant, et m'a demandé de me taire un peu. Elle avait l'air assez fâchée, mais je crois que c'est le trac – ce soir, c'est la première représentation de *Princesse Caraboo*. Tante Anna reste spécialement pour venir la voir. Nous avons aussi des places pour Stan, Daphné et Suzanne, et Ryan va assister à la pièce avec son père et les jumeaux.

362

génération ♀

LA collection pour
jeunes adolescentes.

Des romans à la fois drôles
et tristes, intenses et légers.

Dans la même collection
et de la même auteure

Laura Summers

Un cœur pour deux

À quatorze ans, Becky rencontre les mêmes problèmes que beaucoup d'adolescentes : un petit frère trop collant, une mère surprotectrice et des camarades de classe vraiment détestables. À la différence qu'elle doit affronter un défi de taille qui n'est pas le lot de plusieurs : une greffe du cœur.

Pas facile de s'adapter à cette nouvelle vie quand les germes te terrorisent et que des idiots racontent n'importe quoi sur ton compte, allant jusqu'à te surnommer Miss Frankenstein ! Heureusement que Léa, Julie et Alicia sont là pour épauler Becky... du moins, jusqu'à ce que leur amie devienne un peu étrange !

En effet, depuis l'opération, la jeune fille *adooore* le beurre d'arachide (qu'elle avait auparavant en horreur !), joue au hockey comme une pro et a tendance à remettre les gens à leur place de façon, disons, pas mal violente ! Aussi, des images de personnes et de lieux inconnus apparaissent dans son esprit. Que signifient-elles ? Mystérieusement attirée par un parc de l'autre côté de la ville, Becky y fait la rencontre de Sam, un beau garçon qu'elle a l'impression de déjà connaître. Pourra-t-il l'aider à retrouver cette maison aux volets verts qui surgit constamment dans sa tête ?

Achevé d'imprimer au Canada
sur les presses de Imprimerie Lebonfon Inc.